C000252875

Mathiadur

Geiriadur Mathemateg Cyntaf

Robin Bateman

First 300 maths words in Welsh

@ebol

Os wyt ti'n poeni ac yn chwysu
Uwchben rhifau sy'n dy ddrysu,
A methu gwneud na phen na chynffon
O symbolau rhyfedd, gwirion,
A methu deall gwerth llythrennau
Sydd yn sownd ar gwt ffigurau,
Ac yn dychryn wrth weld onglau
Sy'n mynnu byw mewn mil o siapiau,
Wel dwed ta-ta wrth ofn a braw,
Mae 'na ffrind all roi help llaw,
Agor y cloriau a cher ar antur
I fyd atebion y Mathiadur!

Caryl Parry Jones

Byrfoddau

ans	ansoddair	*eb*	enw benywaidd	*ell*	enw lluosog
be	berfenw	*eg*	enw gwrywaidd		

Cyhoeddwyd yng Nghymru gan Atebol Cyfyngedig,
Adeiladau'r Fagwyr, Llanfihangel Genau'r Glyn, Aberystwyth
Ceredigion SY24 5AQ

Noddwyd gan Lywodraeth Cymru

Cyhoeddwyd yr argraffiad cyntaf dan nawdd
Cynllun Adnoddau Addysgu a Dysgu CBAC

Argraffiad cyntaf 2008
Ailargraffiad 2014

ISBN 1-905255-71-3

Hawlfraint y testun a'r argraffiad © Atebol Cyfyngedig 2014

Ni chaniateir atgynhyrchu unrhyw ran o'r llyfr hwn na'i storio
mewn system adferadwy, na'i drosglwyddo mewn unrhyw
ddull, na thrwy unrhyw gyfrwng, electronig, peirianyddol,
llungopïo, recordio, nac mewn unrhyw ffordd arall, heb
ganiatâd ymlaen llaw gan y cyhoeddwyr.

Dyluniwyd gan: stiwdio@ceri-talybont.com
Arlunwaith gan: Roger Bowles
Golygwyd gan: Eirian Jones a Glyn Saunders Jones
Ymgynghorwyr: Dafydd Iolo Davies, Gwyneth Jones,
Geraint Lewis, Llŷr Rees, Eurwen Thomas a
Gillian Taylor-Williams

Aelodau'r Pwyllgor Monitro: Val Scott (Cadeirydd ar ran
APADGOS), Enid Davies (APADGOS), Susan Jenkins
(CBAC), Eurgain Davies (Cynnal), Bethan Eyres (Ysgol
Mynydd Bychan), Siân Richards (Ysgol Login Fach),
Alun Jones (Ysgol Gynradd Gymraeg Llwynderw),
a Haf Williams (Ysgol Bodalaw).

Argraffwyd gan: Wasg Gomer, Llandysul, Ceredigion

A

abacws (abaci) *eg*

Ffrâm gyfrif ydy abacws. Mae nifer y gleiniau sydd ar bob ffon yn dangos sawl cant, deg ac uned sydd mewn rhif.

Mae'r abacws hwn yn dangos y rhif 539.

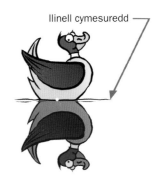

adio *be*

Edrychwch hefyd:

cyfanswm, plws, tynnu, gweithrediad gwrthdro

Wrth adio rydyn ni'n dod o hyd i gyfanswm dau rif neu ragor. Mae'r arwydd plws + yn dangos ein bod yn adio rhifau gyda'i gilydd. Mae adio a thynnu yn weithrediadau gwrthdro.

adlewyrchiad (adlewyrchiadau) *eg*

Edrychwch hefyd:

llinell cymesuredd, trawsffurfiad

Mae adlewyrchiad yn ffordd o newid siâp fel y mae drych yn ei wneud. Caiff y siâp ei adlewyrchu mewn llinell cymesuredd (neu linell ddrych). Mae adlewyrchiad yn un o'r 4 math o drawsffurfiad.

llinell cymesuredd

afreolaidd *ans*

Edrychwch hefyd:

wyneb

Mae siâp dau ddimensiwn yn afreolaidd os nad ydy ei ochrau neu ei onglau yn hafal. Mae siâp tri dimensiwn yn afreolaidd os ydy rhai o'i wynebau yn wahanol i'w gilydd.

ail isradd (ail israddau) *eg*

Edrychwch hefyd:

rhif sgwâr

Yr arwydd am ail isradd ydy $\sqrt{}$. I ddarganfod ail isradd rhif, rhaid i ni chwilio am rif arall y gallwn ni ei luosi ag ef ei hun i roi'r rhif cyntaf i ni. Ail isradd 81 ($\sqrt{81}$) ydy 9, oherwydd bod $9 \times 9 = 81$.

algebra *eg*

Edrychwch hefyd:

newidyn

Mae algebra yn defnyddio llythrennau yn lle rhifau. Gallwn ddefnyddio algebra i ddatrys problemau ac i ymchwilio i batrymau rhif.

a.m.

Edrychwch hefyd:

cloc pedair awr
ar hugain,
p.m.

Mae a.m. yn sefyll am y geiriau Lladin *ante meridiem*. Hwn ydy'r cyfnod rhwng canol nos a chanol dydd.

amcangyfrif (amcangyfrifon) *eg*

Syniad gweddol agos o swm neu fesur ydy amcangyfrif. Gallwn amcangyfrif mai tua 75 centimetr ydy lled drws.

amgrwm *ans*

Edrychwch hefyd:

fertig, ceugrwm

Mae pob siâp amgrwm yn crymu tuag allan. Mae fertigau siâp dau ddimensiwn amgrwm i gyd yn pwyntio tuag allan. Mae pêl rygbi yn amgrwm.

amhosibl *ans*

Edrychwch hefyd:

tebygolrwydd

Mae 'amhosibl' yn disgrifio digwyddiad na fydd byth yn digwydd. Mae hi'n amhosibl i fis Awst ddod yn syth ar ôl mis Ionawr.

amlder (amlderau) *eg*

Amlder digwyddiad ydy'r nifer o weithiau mae rhywbeth yn digwydd dros gyfnod o amser. Efallai mai amlder ymarfer côr ydy dwywaith yr wythnos.

Edrychwch hefyd:

gwahaniaeth

amrediad (amrediadau) *eg*

Amrediad ydy'r gwahaniaeth rhwng y rhif mwyaf a'r rhif lleiaf mewn set o rifau. Dyma set o rifau sy'n dangos nifer y goliau a sgoriwyd mewn sawl gêm bêl-droed: 3, 6, 4, 1, 2, 3, 2, 2, 5. Amrediad nifer y goliau hyn ydy 5. Hwn ydy'r gwahaniaeth rhwng y nifer mwyaf o goliau a'r nifer lleiaf (6 − 1 = 5).

amser (amserau) *eg*

Amser ydy'r cyfnod y mae rhywbeth yn digwydd ynddo. I fesur amser, rydyn ni'n defnyddio unedau fel eiliadau, munudau, oriau, dyddiau, wythnosau, misoedd a blynyddoedd.

amseru *be*

Rydyn ni'n amseru rhywbeth wrth fesur hyd y cyfnod y mae'n digwydd ynddo.

Edrychwch hefyd:

tebygolrwydd

annhebygol *ans*

Mae digwyddiad yn annhebygol os ydy'r siawns na fydd yn digwydd yn llawer llai na'r siawns y bydd yn digwydd. Mae hi'n annhebygol y byddwn ni'n ennill gwobr fawr mewn loteri.

Edrychwch hefyd:

cylchyn, cylch,

crwm,

llinell grom

arc (arcau) *eb*

Rhan o gylchyn cylch ydy arc.

arwydd (arwyddion) *eg*

Mae llawer o arwyddion mewn mathemateg.

Maen nhw'n ffordd gyfleus a chryno i gyflwyno gwybodaeth.

Dyma rai ohonyn nhw: $+$, $-$, $\times$, $\div$, $\sqrt{\ }$.

arwyneb (arwynebau) *eg*

Ochr allanol unrhyw siâp ydy ei arwyneb. Mae hyd a lled ganddo ond dim dyfnder.

Edrychwch hefyd:

arwyneb

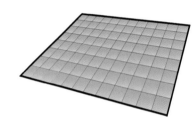

arwynebedd (arwynebeddau) *e*

Arwynebedd ydy maint yr arwyneb y mae siâ... yn ei orchuddio.

Edrychwch hefyd:

arwynebedd

arwynebedd arwyneb (arwynebeddau arwyneb) *eg*

Arwynebedd arwyneb unrhyw siâp tri dimensiwn ydy cyfanswm arwynebedd... pob un o'i wynebau.

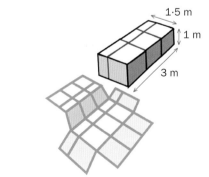

Arwynebedd arwyneb $=$ cyfanswm arwynebedd pob wyneb

$$= 2 \times (3 \text{ m} \times 1 \text{ m}) + 2 \times (1{\cdot}5 \text{ m} \times 1 \text{ m}) + 2 \times (3 \text{ m} \times 1{\cdot}5\text{m}$$
$$= 2 \times 3 \text{ m}^2 + 2 \times 1{\cdot}5 \text{ m}^2 + 2 \times 4{\cdot}5 \text{ m}^2$$
$$= 6 \text{ m}^2 + 3 \text{ m}^2 + 9 \text{ m}^2$$
$$= 18 \text{ m}^2$$

B

Edrychwch hefyd:

cyfagos

barcut (barcutiaid) *eg*

Pedrochr sydd â dau bâr o ochrau cyfagos yr un hyd ydy barcut.

Edrychwch hefyd:

talgrynnu, cyfrifiad

brasamcan (brasamcanion) *eg*

Weithiau mae brasamcan yn ddigon da i ateb cwestiwn. Gallwn wneud hyn drwy dalgrynnu'r rhifau mewn cyfrifiad. I gael brasamcan o 62×19 gallwn luosi 60×20 a chael 1200. Mae cael brasamcan i gyfrifiad cyn i ni ei wneud ar gyfrifiannell yn dweud wrthym a ydym wedi gwneud gwall wrth ddefnyddio'r cyfrifiannell.

brithwaith (brithweithiau) *eg*

Brithwaith ydy'r patrwm rydyn ni'n ei gael wrth i ni osod nifer o siapiau tebyg at ei gilydd fel nad oes unrhyw fwlch o gwbl rhyngddyn nhw. Mae teils ar y llawr a wal frics yn enghreifftiau o frithweithiau.

Edrychwch hefyd:

uned

buanedd (buaneddau) *eg*

Mesur o ba mor gyflym mae rhywbeth yn symud ydy buanedd. Er enghraifft, bydd car sy'n teithio 80 cilometr mewn 1 awr yn teithio ar fuanedd o 80 km/awr. Yr unedau buanedd rydyn ni'n eu defnyddio ydy unedau o bellter (milltiroedd, cilometrau, metrau) mewn unedau o amser (oriau, munudau, eiliadau).

I gyfrifo buanedd cyfartalog unrhyw beth sy'n symud, rydyn ni'n rhannu'r pellter y mae wedi'i deithio â'r amser a gymerodd i deithio.

C

canfed (canfedau) eg

Un rhan o rywbeth cyfan sydd wedi'i rannu yn gant o rannau hafal ydy canfed. Gallwn ei ysgrifennu fel ffracsiwn ($\frac{1}{100}$), fel degolyn (0·01) neu fel canran (1%). Mewn rhifau degol mae'r canfedau i'r dde o'r degfedau.

Edrychwch hefyd:
hafal, teg

canlyniad (canlyniadau) eg

Canlyniad ydy'r hyn sy'n digwydd ar ôl i ni wneud rhywbeth. Mae chwe chanlyniad posibl wedi i ni rolio dis, ac mae pob un yn hafal debygol os ydy'r dis yn un teg. Mae taflu 'tri' yn un canlyniad posibl.

Edrychwch hefyd:
cylchdro

canol cylchdro (canolau cylchdro) eg

Canol cylchdro ydy'r pwynt y byddwn ni'n troi rhywbeth o'i gwmpas wrth e gylchdroi.

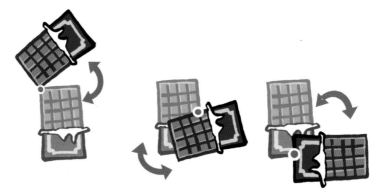

Edrychwch hefyd:
cyfartaledd,
cymedr,
modd

canolrif (canolrifau) eg

Mae canolrif yn un o'r tri math o gyfartaledd. Hwn ydy'r gwerth canol ar ôl i ni roi'r rhifau yn eu trefn.
Cafodd Anwen y marciau hyn mewn prawf:
5, 5, 9, 15 ac 16. Y canolrif felly ydy 9.
Os nad oes un gwerth canol oherwydd bod nifer y gwerthoedd yn eilrif, fel 4, 5, 7 ac 11, yna mae'r canolrif hanner ffordd rhwng y ddau werth canol. 5 a 7 sef 6. Gallwn ei gyfrifo drwy adio'r ddau werth canol ac yna rhannu â 2

canran (canrannau) *eg*

Edrychwch hefyd:

enwadur

Ffracsiwn arbennig sydd â'i enwadur yn 100 ydy canran, fel $\frac{93}{100}$ neu $\frac{7}{100}$. Gallwn ysgrifennu $\frac{93}{100}$ fel 93%, a $\frac{7}{100}$ fel 7%. Wrth ddarllen 7% rydyn ni'n dweud 'saith y cant'. Mae hyn yn golygu saith ym mhob un cant.

Gallwn ddefnyddio canrannau wrth gymharu. Er enghraifft, gallwn newid canlyniadau tri phrawf a wnaeth Harri yn ganrannau er mwyn eu cymharu.

$$\frac{18}{24} = \frac{3}{4} = \frac{75}{100} = 75\%$$

$$\frac{12}{15} = \frac{4}{5} = \frac{80}{100} = 80\%$$

$$\frac{36}{45} = \frac{4}{5} = \frac{80}{100} = 80\%$$

Cafodd Harri 80% ar y ddau brawf olaf, ond ni wnaeth cystal yn y prawf cyntaf lle cafodd 75%.

Celsius *ans*

Edrychwch hefyd:

gradd, graddfa,

Fahrenheit

Graddfa i fesur tymheredd ydy Celsius. Mae Celsius yn defnyddio graddau (neu °) ac rydyn ni'n aml yn ei nodi â'r llythyren C. Pan fydd dŵr yn rhewi bydd y raddfa Celsius yn mesur 0°C, a bydd yn mesur 100°C pan fydd dŵr yn berwi. Mae'r raddfa Celsius wedi'i henwi ar ôl Anders Celsius o Sweden.

centimetr (centimetrau) *eg*

Edrychwch hefyd:

hyd, pellter

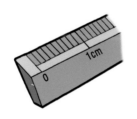

Uned fetrig i fesur hyd a phellter ydy centimetr (cm). Mae 10 milimetr (mm) mewn centimetr ac mae 100 centimetr mewn un metr (m). Mae un centimetr ychydig yn llai na hanner modfedd.

centimetr ciwbig
(centimetrau ciwbig) *eg*

Edrychwch hefyd:

cyfaint,

cynhwysedd,

mililitr

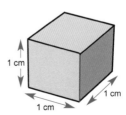

Uned fetrig i fesur cyfaint a chynhwysedd ydy centimetr ciwbig (cm³).

centimetr sgwâr
(centimetrau sgwâr) *eg*

Uned fetrig i fesur arwynebedd ydy centimetr sgwâr (cm²). Mae'n $\frac{1}{10\,000}$ o fetr sgwâr.

Edrychwch hefyd:
arwynebedd

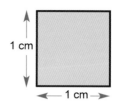

1 cm

1 cm

ceugrwm *ans*

Mae pob siâp ceugrwm yn crymu tuag i mewn. Ym mhob siâp dau ddimensiwn ceugrwm mae o leiaf un fertig yn pwyntio tuag i mewn. Mae soseri lloeren yn geugr...

Edrychwch hefyd:
amgrwm, fertig

cilogram (cilogramau) *eg*

Uned fetrig i fesur màs ydy cilogram (kg).
Mae 1000 gram (g) mewn un cilogram.
Mae un cilogram tua 2·2 pwys.

Edrychwch hefyd:
màs

cilometr (cilometrau) *eg*

Uned fetrig i fesur hyd a phellter ydy cilometr (km). Mae 1000 metr (m) mewn un cilometr. Mae un cilometr tua 0·6 milltir.

Mae cilo yn dod o'r Groeg *khilioi* sy'n golygu un fil.

Edrychwch hefyd:
hyd, pellter

1 km

ciwb (ciwbiau) *eg*

Mae dau ystyr i'r gair ciwb. Mae un yn siâp tri dimensiwn a math o rif ydy'r llall.

Edrychwch hefyd:
tri dimensiwn,
wyneb, ciwboid,
prism petryal,
polyhedron
rheolaidd

- Siâp tri dimensiwn sydd â chwe wyneb sgwâr ydy ciwb. Mae'n fath arbennig o giwboid neu o brism petryal.

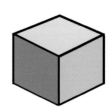

Edrychwch hefyd:
rhif ciwb

- Mae ciwbio rhif yn golygu lluosi rhif ag ef ei hun dair gwaith er enghraifft, $2 \times 2 \times 2$. Byddwn ni'n ysgrifennu hyn fel 2^3 a yn dweud 'dau ciwb', 'dau wedi'i giwbio' neu 'dau i'r pŵer 3

Edrychwch hefyd:

prism petryal

ciwboid (ciwboidau) *eg*

Siâp tri dimensiwn sydd â chwe wyneb petryal ydy
ciwboid. Enw arall arno ydy prism petryal.

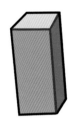

Edrychwch hefyd:

hyd, cufydd,

rhychwant

cledr (cledrau) *eb*

Hen uned i fesur hyd ydy cledr.
Hwn ydy'r pellter ar draws llaw gyda'r bysedd ar gau.
Mae'n cael ei ddefnyddio i fesur taldra ceffyl rhwng
carn y droed flaen a'r ysgwydd.
Mae un cledr yn mesur tua 10 cm.

Edrychwch hefyd:

cloc analog,

cloc digidol,

cloc pedwar awr

ar hugain

cloc (clociau) *eg*

Dyfais fecanyddol neu drydanol sy'n dangos yr amser ydy cloc.
Mae rhai clociau yn analog ac eraill yn ddigidol.

Edrychwch hefyd:

a.m., p.m.

cloc analog (clociau analog) *eg*

Mae cloc analog yn dangos yr amser ar ddeial sydd fel arfer
â'r rhifau 1 i 12 o'i amgylch. Mae un bys yn dangos yr awr
ac un arall yn dangos y munudau. Weithiau mae trydydd
bys sy'n dangos eiliadau. Rydyn ni'n defnyddio a.m. i
ddangos yr amser cyn hanner dydd a p.m. i ddangos yr
amser wedi hanner dydd.

Edrychwch hefyd:

a.m., p.m.

cloc digidol (clociau digidol) *eg*

Mae cloc digidol yn dangos yr amser mewn rhifau.
Mae rhai clociau yn defnyddio'r rhifau 1 i 12 ac a.m.
a p.m. i ddangos yr oriau. Mae clociau eraill yn
defnyddio'r rhifau 0 i 23 i ddangos yr oriau.

cloc pedair awr ar hugain
(clociau pedair awr ar hugain) *eg*

Mae cloc pedair awr ar hugain yn defnyddio'r rhifau o 0 hyd at 23 i gynrychioli oriau.

Mae'n cyfrif yr oriau o hanner nos hyd hanner nos, yn hytrach na defnyddio rhifau hyd at 12 ddwywaith (cyn hanner dydd ac ar ôl hanner dydd). Rydyn ni'n defnyddio pedwar digid i ysgrifennu'r amser gyda'r cloc pedair awr ar hugain, er enghraifft, 15:45, 18:00, 08:15, 23:50 a 00:10.

Dyma rai amserau cloc 24 awr wedi eu hysgrifennu fel amser cloc 12 awr:

00:10 ydy 12:10 a.m.
08:15 ydy 8:15 a.m.
18:00 ydy 6:00 p.m.

Edrychwch hefyd:
digid, a.m., p.m.

clocwedd *ans*

Un o'r ddau gyfeiriad troi ydy clocwedd. Mae bysedd cloc analog yn troi mewn cyfeiriad clocwedd.

Edrychwch hefyd:
gwrthglocwedd

clorian (cloriannau) *eb*

Rydyn ni'n defnyddio clorian i fesur màs neu bwysau pethau. Mae sawl math gwahanol o glorian ar gael, fel clorian i bwyso ein hunain, clorian cegin i fesur pwysau pethau ar gyfer coginio a chlorian tafol i bwyso pethau bychain.

Edrychwch hefyd:
màs

fertig

côn (conau) *eg*

Mae côn yn siâp tri dimensiwn sydd â fertig pigfain a chylch yn sylfaen iddo.

sylfaen

Edrychwch hefyd:
tri dimensiwn,
sylfaen, fertig

croeslin (croesliniau) *eb*

Llinell syth o un gornel o siâp dau ddimensiwn i gornel arall (ond nid un cyfagos) ydy croeslin.

Edrychwch hefyd:
dau ddimensiwn,
cyfagos

Edrychwch hefyd:

rwydd, cyfesuryn

cromfach (cromfachau) *eg*

Arwyddion mathemategol sy'n edrych fel hyn (   ) ydy cromfachau. Rydyn ni bob tro yn ysgrifennu cyfesurynnau fel (5, 4) mewn cromfachau.

Mae rhai cwestiynau rhif yn cynnwys cromfachau er mwyn dangos beth y dylen ni ei gyfrifo yn gyntaf. Er enghraifft, mae gosod cromfachau o gwmpas 2 + 4 yn y cyfrifiad hwn yn newid yr ateb:

$$24 \div 2 + 4 = 12 + 4 = 16$$
$$24 \div (2 + 4) = 24 \div 6 = 4$$

crwm *ans*

Mae arwynebedd yn grwm os nad ydy'n fflat.
Mae llinell yn grom os nad ydy'n syth.

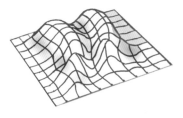

Edrychwch hefyd:

cylch, sffêr

crwn *ans*

Mae cylch yn siâp crwn mewn dau ddimensiwn. Mae sffêr yn siâp crwn mewn tri dimensiwn.

Edrychwch hefyd:

hyd, cledr,

rhychwant

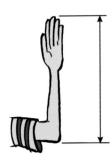

cufydd (cufyddau) *eg*

Hen uned i fesur hyd ydy cufydd. Hwn ydy'r pellter o'r penelin hyd at flaen y bys canol. Mae un cufydd yn mesur tua 45 cm.

Edrychwch hefyd:

cylch, arc

cwmpas (cwmpasau) *eg*

Rydyn ni'n defnyddio cwmpas i lunio cylch neu arc.

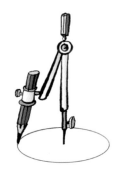

cwmpawd (cwmpawdau) *eg*

Edrychwch hefyd:

cyfeiriant

Rydyn ni'n defnyddio cwmpawd i ddod o hyd i gyfeiriad. Mae nodwydd fagnetig mewn cwmpawd yn pwyntio tua'r Gogledd bob tro. Yna gallwn ddod o hyd i gyfeiriadau eraill. Pedwar prif bwynt y cwmpawd ydy Gogledd (G), De (D), Gorllewin (Gn) a Dwyrain (Dn). Mae pwyntiau eraill rhwng y rhain, fel Gogledd-Ddwyrain a De-Orllewin.

cyfagos *ans*

Mae cyfagos yn golygu 'nesaf at'.

cyfaint (cyfeintiau) *eg*

Edrychwch hefyd:

tri dimensiwn,

centimetr ciwbig,

metr ciwbig,

litr, mililitr,

cynhwysedd

Cyfaint ydy faint o le sydd ei angen ar rywbeth. Rydyn ni'n mesur cyfaint pethau tri dimensiwn mewn centimetrau ciwbig (cm^3), metrau ciwbig (m^3), litrau (l), mililitrau (ml), peintiau (pt) neu mewn galwyni (gal).

Gallwn ddod o hyd i gyfaint mewn sawl ffordd. Gallwn adeiladu siâp gan ddefnyddio ciwbiau o gyfaint arbennig, neu gallwn roi rhywbeth dan ddŵr a mesur faint mae lefel y dŵr wedi codi, neu gallwn ddefnyddio fformiwla.

Y fformiwla i gyfrifo cyfaint ciwb neu giwboid ydy: hyd × lled × uchder.

cyfanswm (cyfansymiau) *eg*

Edrychwch hefyd:

adio,

hafal

Y cyfanswm ydy'r ateb rydyn ni'n ei gael wrth adio rhifau at ei gilydd. Cyfanswm 13 a 29 ydy 42.

drychwch hefyd:

canolrif, cymedr,

modd

cyfartaledd (cyfartaleddau) *eg*

Y cyfartaledd ydy'r rhif sy'n cynrychioli gwerth nodweddiadol unrhyw set o rifau. Mae tri math gwahanol o gyfartaledd: y canolrif, y cymedr a'r modd.

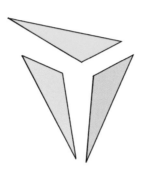

cyfath *ans*

Mae siapiau yn gyfath os ydyn nhw yr un fath â'i gilydd o ran siâp a maint, er nad oes rhaid i gyfeiriad y siapiau fod yr un fath.

drychwch hefyd:

cwmpawd,

clocwedd

cyfeiriant (cyfeiriannau) *eg*

Ongl ydy cyfeiriant, ac felly rydyn ni'n mesur cyfeiriant mewn graddau.
Mae cyfeiriannau bob amser yn cael eu mesur yn glocwedd o'r Gogledd. Rydyn ni'n defnyddio tri digid i ddisgrifio cyfeiriant, er enghraifft 090°, 182°, 227°.

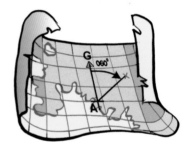

Ar y map gyferbyn, 060° ydy cyfeiriant y llong o'r pwynt A.

Edrychwch hefyd:

wadur, ffracsiwn

cyfenwadur (cyfenwaduron) *eg*

Mae cyfenwadur gan ddau ffracsiwn os ydy enwadur (y rhif ar waelod ffracsiwn) y ddau ffracsiwn yr un peth, fel $\frac{1}{7}$ a $\frac{4}{7}$.

Edrychwch hefyd:

echelin,

llorweddol,

fertigol

cyfesuryn (cyfesurynnau) *eg*

Rydyn ni'n defnyddio cyfesurynnau i leoli rhywle yn fanwl gywir ar graff neu ar fap. Fel hyn mae ysgrifennu cyfesurynnau: (3, 5) neu (67, 49). Gallwn ddefnyddio (2, 3) i ddisgrifio ble mae'r groes ar y graff ac ar y map.

Y rhif cyntaf ydy'r cyfesuryn *x* sy'n dangos pa mor bell ar hyd yr echelin *x*, neu'r echelin lorweddol mae'r pwynt yn gorwedd. Mae'r ail rif, neu'r cyfesuryn *y*, yn dangos pa mor bell i fyny'r echelin *y* neu'r echelin fertigol mae'n gorwedd.

Edrychwch hefyd:

dau ddimensiwn,

cymhareb,

tri dimensiwn

cyflun *ans*

Mae'r gair cyflun yn disgrifio pethau sydd wedi'u gwne yn fwy neu'n llai ond sydd heb newid eu siâp. Mae onglau siapiau cyflun yn hafal i'w gilydd. Hefyd, mae h eu hochrau yn yr un gyfrannedd neu'r un gymhareb. Ni oes rhaid i siapiau cyflun dau ddimensiwn wynebu'r un cyfeiriad. Mae modelau wrth raddfa yn siapiau cyflun tr dimensiwn.

Edrychwch hefyd:

uned

cyfradd (cyfraddau) *eb*

Cyfradd ydy'r berthynas rhwng dwy uned wahanol o fesur, fel metrau ac eiliadau. Rydyn ni'n disgrifio un uned mewn perthynas â'r llall ac yn defnyddio'r arwydd / ar gyfer 'pob un'. Er enghraifft, rydyn ni'n ysgrifennu 25 metr yr eiliad fel 25m/eiliad, sef 25 metr ym mhob un eiliad. Mae £3/kg y golygu £3 y cilogram ac mae £1/awr yn golygu £1 am bob un awr.

cyfrannedd (cyfraneddau) *eb*

Gweler *cymhareb*.

cyfrifiad (cyfrifiadau) *eg*

Cyfrifiad ydy'r broses o gael yr ateb i gwestiwn sy'n cynnwys rhifau.

drychwch hefyd:

graff

cyfwng dosbarth (cyfyngau dosbarth) *eg*

Wrth lunio graff neu dabl, weithiau bydd yn rhaid i ni rannu'r data yn grwpiau cyfartal. Lled y grŵp ydy'r cyfwng dosbarth.

I ddangos oedran pawb yn ein tref gallwn grwpio'r data mewn cyfwng dosbarth o ddeg. Byddai pawb o 0 i 9 oed mewn grŵp gyda'i gilydd, pawb o 10 i 19 oed mewn grŵp gyda'i gilydd ac yn y blaen.

drychwch hefyd:

dau ddimensiwn,

crwn, cylchyn,

cylchedd

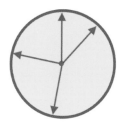

cylch (cylchoedd) *eg*

Siâp crwn, fflat, dau ddimensiwn gyda phob pwynt ar y cylchyn yr un pellter o'r canol ydy cylch.

drychwch hefyd:

canol cylchdro,

trawsffurfiad

cylchdro (cylchdroeon) *eg*

Mewn cylchdro mae holl bwyntiau unrhyw siâp yn troi drwy'r un ongl o gwmpas un pwynt. Enw'r pwynt hwn ydy'r canol cylchdro. Mae un tro cyfan neu 360° (360 gradd) mewn un cylchdro. Mae cylchdro yn un o'r 4 math o drawsffurfiad.

drychwch hefyd:

cylch, cylchyn,

erimedr, diamedr

cylchedd (cylcheddau) *eg*

Cylchedd cylch ydy'r pellter o gwmpas ei gylchyn. Hwn ydy perimedr cylch ac mae tua thair gwaith yn fwy na'r diamedr.

drychwch hefyd:

cylch, cylchedd

cylchyn (cylchynnau) *eg*

Cylchyn cylch ydy'r llinell grom sydd o'i gwmpas ac sy'n ffurfio'r cylch.

Edrychwch hefyd:

cyfartaledd,

canolrif,

modd

cymedr (cymedrau) *eg*

Mae cymedr yn un o'r tri math o gyfartaledd. I gyfrifo cymedr set o rifau rydyn ni'n adio'r rhifau at ei gilydd ac yn rhannu'r cyfanswm â nifer y rhifau Cafodd Anwen y marciau hyn mewn prawf: 5, 5, 9, 15 ac 16.

Cyfanswm marciau Anwen ydy 50 ac mae 5 o farciau ganddi. Y cymedr felly ydy $50 \div 5 = 10$. Enw arall ar y cymedr ydy'r gwerth cymedrig.

Edrychwch hefyd:

adlewyrchiad,

dau ddimensiwn,

llinell cymesuredd,

tri dimensiwn, tro

cymesuredd (cymesureddau) *eg*

Mae dau fath o gymesuredd sef, cymesuredd adlewyrchiad a chymesuredd cylchdro.

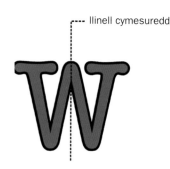

llinell cymesuredd

- Mae gan siâp dau ddimensiwn gymesuredd adlewyrchiad os gallwn ei blygu ar hyd lline syth fel bod y ddau hanner yn ffitio'n union ar ben ei gilydd. Enw'r llinell hon ydy'r lline cymesuredd. Mae gan siâp tri dimensiwn gymesuredd adlewyrchiad os gallwn ei dorr ddau hanner sydd yna'n adlewyrchu ei gilyd

- Mae gan siâp dau ddimensiwn gymesuredd cylchdro os gall ffitio i amlinell ei siâp mewn mwy nag un ffordd wrth i ni ei droi drwy un tro cyfan. Mae'r siâp gyferbyn yn ffitio i amlinell ei siâp dair gwaith, felly mae ganddo gymesuredd cylchdro trefn 3. Mae gan siâp tri dimensiwn gymesuredd cylchdro os gall ffitio i amlinell ei siâp mewn mwy nag un ffordd wrth i ni ei droi drwy un tro cyfan o gwmpas llinell ganol.

Cymesuredd
cylchdro trefn 3

cymhareb (cymarebau) *eb*

Perthynas rhwng dau faint ydy cymhareb. Rydyn ni'n defnyddio'r arwydd : i ddangos cymhareb. Os ydyn ni'n cymysgu 100 ml o sudd oren â 600 ml o ddŵr i wneud diod, y gymhareb ydy 100 rhan o sudd oren i 600 rhan o ddŵr, neu 100 : 600. Gallwn ysgrifennu hyn hefyd fel 1 : 6 (neu 1 i 6) oherwydd bod 100 : 600 ac 1 : 6 yn yr un gymhareb neu yn yr un gyfranned

drychwch hefyd:

cyfaint,

centimetr ciwbig,

metr ciwbig,

mililitrau, peint,

system fetrig,

system imperial

cynhwysedd (cynwyseddau) *eg*

Cynhwysedd rhywbeth ydy'r maint mwyaf y mae'n gallu ei ddal. Gallwn sôn am gynhwysedd bocs, bwced neu danc dŵr. Rydyn ni'n mesur cynhwysedd fel arfer mewn unedau metrig fel mililitrau (ml) a litrau (l) ond weithiau mewn unedau imperial fel peintiau a galwyni. Rydyn ni hefyd yn defnyddio unedau cyfaint, fel centimetrau ciwbig (cm³) a metrau ciwbig (m³) i fesur cynhwysedd.

drychwch hefyd:

trefn esgynnol

cynyddol *ans*

Mae cynyddu yn golygu mynd yn fwy. Rydyn ni'n dweud bod y rhifau 3, 8, 17, 29, 206 wedi eu gosod mewn trefn gynyddol neu drefn esgynnol.

drychwch hefyd:

gwerth

cywerth *ans*

Ystyr cywerth ydy bod â'r un gwerth â rhywbeth arall. Felly, mae 100c yn gywerth â £1. Mae'r ffracsiwn $\frac{4}{5}$ yn gywerth â'r degolyn 0·8 a'r canran 80%.

cywirdeb *eg*

Mae cywirdeb rhif neu fesur yn dweud wrthym pa mor fanwl gywir y mae'r rhif neu'r mesur hwnnw.

Ch

chwarter (chwarteri) *eg*

Un rhan o rywbeth cyfan sydd wedi'i rannu yn bedair o rannau hafal ydy chwarter. Gallwn ei ysgrifennu fel ffracsiwn ($\frac{1}{4}$), fel degolyn (0·25) neu fel canran (25%).

Edrychwch hefyd:

tro

chwarter tro (chwarter troeon) *eg*

Mae un tro cyfan yn 360°. Mae chwarter tro
yn 90° neu'n un ongl sgwâr.

chweched (chwechedau) *eg*

Un rhan o rywbeth cyfan sydd wedi'i rannu yn chwech o rannau hafal ydy
chweched ac rydyn ni'n ei ysgrifennu fel $\frac{1}{6}$.

D

Edrychwch hefyd:

data arwahanol,

data di-dor

data *ell*

Data ydy gwybodaeth am rywbeth. Mae data yn gallu bod mewn geiriau –
rhestr o enwau pawb sy'n byw yn eich stryd; mewn rhifau – sgorau gemau
rygbi; neu mewn lluniau – ffotograffau gwyliau haf.

Edrychwch hefyd:

data, data di-dor

data arwahanol *ell*

Data arwahanol ydy'r wybodaeth rydyn ni'n e
chael wrth i ni gyfrif pethau sy'n unedau cyfar
fel nifer y disgyblion mewn dosbarth, nifer y
llyfrau ar silff neu nifer y cacennau ar blât.

Mae'n wahanol i'r data di-dor rydyn ni'n eu
cael wrth i ni fesur pethau.

Edrychwch hefyd:

data,

data arwahanol

data di-dor *ell*

Data di-dor ydy'r wybodaeth rydyn ni'n
eu chael wrth i ni fesur pethau fel
tymheredd, pwysau, taldra, hyd ac
oedran.

Mae'n wahanol i'r data arwahanol
rydyn ni'n eu cael wrth i ni gyfrif pethau.

Edrychwch hefyd:
dimensiwn,
un dimensiwn,
tri dimensiwn,
plân

dau ddimensiwn *eg* ac *ans*

Mesur o faint a siâp ydy dimensiwn. Mae siapiau dau ddimensiwn yn fflat ac mae dau gyfeiriad ganddyn nhw – hyd a lled ond dim dyfnder. Enw arall ar siapiau 2-D ydy siapiau plân. Mae triongl, sgwâr, pentagon a chylch yn enghreifftiau ohonyn nhw.

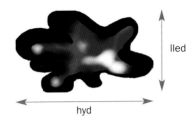

lled

hyd

Edrychwch hefyd:
dau ddimensiwn

decagon (decagonau) *eg*

Mae decagon yn siâp dau ddimensiwn sydd â deg ochr syth a deg ongl.

Edrychwch hefyd:
tri dimensiwn

decahedron (decahedronau) *eg*

Siâp tri dimensiwn sydd â deg wyneb ydy decahedron.

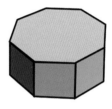

degawd (degawdau) *eg*

Degawd ydy cyfnod o 10 mlynedd.

Edrychwch hefyd:
ffracsiwn,
degolyn, canran

degfed (degfedau) *eg*

Un rhan o rywbeth cyfan sydd wedi'i rannu yn ddeg o rannau hafal ydy degfed. Gallwn ei ysgrifennu fel ffracsiwn ($\frac{1}{10}$), fel degolyn (0·1) neu fel canran (10%). Mewn rhifau degol mae'r degfedau i'r dde o'r pwynt degol.

Edrychwch hefyd:
lle degol,
pwynt degol

degol *ans*

Mae'r gair degol yn disgrifio rhywbeth sydd wedi'i seilio ar system o ddegau.

degolyn (degolion) *eg*

Edrychwch hefyd:
pwynt degol,
enwadur

Mae degolion yn rhifau fel 23·0. 0·7 a 4·359 sy'n cynnwys pwynt degol.
Mae'r digidau i'r dde o'r pwynt degol yn dangos y rhannau sy'n llai nag un.
Maen nhw'n ffordd arall o ysgrifennu ffracsiynau sydd ag enwadur
yn 10, 100, 1000, … fel $\frac{3}{10}$ a $\frac{29}{100}$.

degolyn cylchol (degolion cylchol) *eg*

Edrychwch hefyd:
degolyn

Degolyn cylchol ydy degolyn nad ydy byth yn dod i ben.

Mae'n ailadrodd digid neu set o ddigidau
drosodd a throsodd, er enghraifft 0·33333…,
52·1666666…, 0·272727…
Rydyn ni'n rhoi dot uwchben y degolyn i
ddangos bod y digidau yn ailadrodd am byth,
er enghraifft, 0·3̇, 52·16̇ ac 0·2̇7̇.

diagram Carroll
(diagramau Carroll) *eg*

Edrychwch hefyd:
data, didoli

Ffordd o ddidoli a chyflwyno gwybodaeth
mewn rhesi a cholofnau ydy diagram
Carroll. Yn y diagram gyferbyn rydyn ni'n
didoli pethau drwy alw un rhes yn 'glas' a'r
rhes arall yn 'nid glas'. Os mai 'cylchoedd'
ydy'r enw ar un golofn yna'r enw ar y

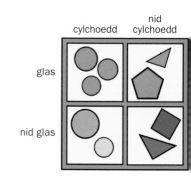

golofn arall fydd 'nid cylchoedd'. Rydyn ni'n defnyddio'r enw Carroll i gofio
am Lewis Carroll a ysgrifennodd *Anturiaethau Alys yng Ngwlad Hud*.

diagram Venn
(diagramau Venn) *eg*

Edrychwch hefyd:
set, data, didoli

Ffordd o gyflwyno gwybodaeth gan ddefnyddio
cylchoedd mewn petryal ydy diagram Venn.
Mae pob cylch yn cynrychioli set o bethau. Os
oes rhywbeth yn perthyn i ddwy set yna bydd
dau gylch yn croestorri. Rydyn ni'n defnyddio'r

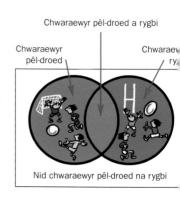

enw Venn i gofio am John Venn, mathemategydd o Gaergrawnt.

diamedr (diamedrau) *eg*

Edrychwch hefyd:

cylch, radiws

Llinell syth ar draws cylch drwy ei ganol ydy diamedr. Mae ei hyd yn ddwywaith hyd y radiws.

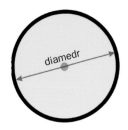

didoli *be*

Edrychwch hefyd:

diagram Carroll,

diagram Venn

Didoli ydy rhannu set o bethau gan ddefnyddio un neu fwy o reolau.

digid (digidau) *eg*

Edrychwch hefyd:

rhif, ffigur

Digidau ydy'r deg symbol 0, 1, 2, 3, 4, 5, 6, 7, 8, 9 rydyn ni'n eu defnyddio i ysgrifennu rhifau. Y digidau yn y rhif 427 ydy 4, 2 a 7. Mae gwerth digid yn dibynnu ar ei le o fewn rhif. Yn 427 mae'r 4 yn werth 400, ond yn 246 ei werth ydy 40.

dilyniant (dilyniannau) *eg*

Dilyniant ydy cyfres o bethau neu rifau sydd wedi'u gosod mewn trefn yn ôl rheol arbennig. Mae patrymau rhif fel 2, 4, 6, 8, … ac 1, 4, 9, 16, … yn ddilyniannau oherwydd bod y rhifau mewn trefn a'u bod yn dilyn rheol arbennig.

dilyniant Fibonacci *eg*

Edrychwch hefyd:

dilyniant

Mathemategydd o'r Eidal a ddaeth o hyd i ddilyniant rhif arbennig iawn oedd Fibonacci. Mae dilyniant rhif Fibonacci yn dechrau fel hyn: 1, 1, 2, 3, 5, 8, 13 … I gael y rhif nesaf yn y dilyniant rydyn ni'n adio'r ddau rif sydd o'i flaen.

dilynol *ans*

Edrychwch hefyd:

rhif cyfan

Mae pethau dilynol yn dod un ar ôl y llall. Mae Ebrill, Mai a Mehefin yn fisoedd dilynol ac mae 13, 14 ac 15 yn dri rhif cyfan dilynol.

dimensiwn (dimensiynau) *eg*

Edrychwch hefyd:

un dimensiwn,

plân,

dau ddimensiwn,

tri dimensiwn

Mesur o faint a siâp ydy dimensiwn. Un dimensiwn sydd gan linell – sef ei hyd. Mae gan siapiau plân (neu fflat) fel sgwariau, trionglau a chylchoedd ddau ddimensiwn – hyd a lled. Mae tri dimensiwn gan giwb, silindr a sffêr – mae ganddyn nhw uchder neu ddyfnder yn ogystal â hyd a lled.

disgownt (disgowntiau) *eg*

Edrychwch hefyd:

canran

Disgownt ydy'r swm o arian sy'n cael ei dynnu o bris llawn rhywbeth. Yn aml mae'n cael ei ddangos fel canran o'r pris llawn.

dodecagon (dodecagonau) *eg*

Edrychwch hefyd:

dau ddimensiwn

Mae dodecagon yn siâp dau ddimensiwn sydd â deuddeg ochr syth a deuddeg ongl.

dodecahedron (dodecahedronau) *eg*

Edrychwch hefyd:

tri dimensiwn

Siâp tri dimensiwn sydd â deuddeg wyneb ydy dodecahedron.

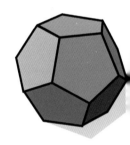

dyfnder (dyfnderau) *eg*

Edrychwch hefyd:

uchder

Dyfnder rhywbeth, fel pwll glo neu bwll nofio, ydy'r mesur o'r top i'r gwaelod. Rydyn ni hefyd yn defnyddio'r gair dyfnder i ddangos ble mae craig neu bysgodyn mewn dŵr dwfn. Efallai bod y graig ar ddyfnder o bum metr o dan wyneb y dŵr.

E

echelin (echelinau) *eb*

Llinell syth ydy echelin. Mae dau ystyr i'r gair echelin. Mae un yn llinell bwysig ar graff, ac rydyn ni'n defnyddio'r llall wrth ddisgrifio cymesuredd.

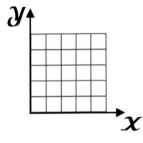

Edrychwch hefyd:
orweddol, fertigol

- Mae dwy echelin ar graff, yr echelin lorweddol neu'r echelin *x*, a'r echelin fertigol neu'r echelin *y*.

Edrychwch hefyd:
cymesuredd,
linell cymesuredd,
dau ddimensiwn,
tri dimensiwn

- Weithiau rydyn ni'n galw llinell cymesuredd yn echelin cymesuredd. Mae'n rhannu siâp dau ddimensiwn yn ddwy ran sy'n adlewyrchiad o'i gilydd. Echelin cylchdro ydy'r llinell rydyn ni'n troi siâp tri dimensiwn o'i chwmpas.

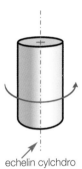

echelin cylchdro

eilrif (eilrifau) *eg*

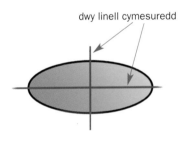

Eilrifau ydy'r rhifau y gallwn eu rhannu'n union â 2. Mae pob rhif sy'n gorffen â 0, 2, 4, 6 ac 8 yn eilrif.

elips (elipsau) *eg*

Edrychwch hefyd:
dau ddimensiwn

Mae elips yn siâp hirgrwn, dau ddimensiwn sydd â dwy linell cymesuredd.

dwy linell cymesuredd

enwadur (enwaduron) *eg*

Edrychwch hefyd:
ffracsiwn, rhifiadur

Enwadur ydy'r rhif sydd ar waelod ffracsiwn. Mae'n dangos nifer y rhannau mae'r cyfan wedi ei rannu iddo. Yn y ffracsiwn $\frac{1}{3}$, tri ydy'r enwadur.

F

Fahrenheit

Edrychwch hefyd:
gradd, graddfa,
Celsius

Graddfa i fesur tymheredd ydy Fahrenheit. Mae Fahrenheit yn defnyddio graddau (neu °) ac rydyn ni'n aml yn eu nodi â'r llythyren F. Pan fydd dŵr yn rhewi bydd y raddfa Fahrenheit yn mesur 32°F, a bydd yn mesur 212°F pan fydd dŵr yn berwi. Mae'r raddfa Fahrenheit wedi'i henwi ar ôl Daniel Fahrenheit o'r Almaen

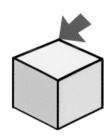

fertig (fertigau) *eg*

Cornel siâp ydy fertig. Mae pedwar fetrig gan sgwâr a mae wyth fertig gan giwb.

fertigol *ans*

Edrychwch hefyd:
llorweddol

Llinell fertigol ydy llinell sy'n pwyntio ar i fyny ar ongl o 90° (90 gradd) o linell lorweddol. Gallwn weld llinellau fertigol o'n cwmpas ar bolion lamp a ar gorneli adeiladau.

Ff

ffactor (ffactorau) *eb*

Edrychwch hefyd:
rhannu'n union

Ffactor ydy rhif cyfan sy'n rhannu'n union i rif arall.
Ffactorau 24 ydy: 1, 2, 3, 4, 6, 8, 12 a 24.

ffactor graddfa
(ffactorau graddfa) *eb*

Edrychwch hefyd:
helaethiad

Mae ffactor graddfa yn disgrifio faint yn fwy neu'n llai ydy rhywbeth nag yr oedd cyn iddo gael ei helaethu. Mae ochrau triongl sydd wedi'i helaethu â ffactor graddfa 2 â'i ochrau ddwy waith yn fwy na'r triongl gwreiddiol.

drychwch hefyd:

rhannu'n union

ffactor gyffredin fwyaf
(ffactorau cyffredin mwyaf) *eb*

Y ffactor gyffredin fwyaf sydd i ddau rif neu fwy ydy'r ffactor fwyaf sy'n rhannu'n union i'r ddau rif hynny.

> Ffactorau 36 ydy 1, 2, 3, 4, 6, 9, 12, 18 a 36.
> Ffactorau 32 ydy 1, 2, 4, 8, 16 a 32.
> Y ffactorau sy'n gyffredin i 36 a 32 ydy 1, 2 a 4.
> Felly, ffactor gyffredin fwyaf 36 a 32 ydy 4.

drychwch hefyd:

rhif cysefin

ffactor gysefin (ffactorau cysefin) *eb*

Ffactorau cysefin unrhyw rif ydy'r ffactorau hynny sydd hefyd yn rhifau cysefin, hynny yw, sydd ond ag 1 neu'r rhif ei hun yn ffactorau iddyn nhw. Ffactorau cysefin 20 ydy 2 a 5.

drychwch hefyd:

digid, rhif

ffigur (ffigurau) *eg*

Mae tri ystyr i'r gair ffigur. Mae un yn siâp a'r ddau arall yn rhifau.

- Mae siâp dau ddimensiwn, fel cylch neu sgwâr, yn ffigur.

- Mae ffigur yn enw arall ar ddigid.

- Mae ffigur hefyd yn enw ar rif sy'n cynnwys sawl digid, fel 23 neu 706.

444

drychwch hefyd:

algebra

fformiwla (fformiwlâu) *eb*

Ffordd hwylus i ysgrifennu rheol fathemategol ydy fformiwla.

Dyma rai fformiwlâu defnyddiol:

arwynebedd petryal = hyd $\times$ lled

cyfaint ciwboid = hyd $\times$ lled $\times$ uchder

Edrychwch hefyd:
rhifiadur, enwadur

ffracsiwn (ffracsiynau) *eg*

Rhan o rywbeth cyfan sydd wedi'i rannu yn nifer o rannau hafal ydy ffracsiwn. Mae dwy ran i ffracsiwn, y rhif ar y top neu'r rhifiadur, a'r rhif ar y gwaelod neu'r enwadur. Rydyn ni'n ysgrifennu ffracsiwn fel hyn: $\frac{2}{5}$.

Edrychwch hefyd:
rhifiadur, enwadur

ffracsiwn bondrwm
(ffracsiynau bondrwm) *eg*

Mewn ffracsiwn bondrwm mae'r rhifiadur (y rhif ar y top) yn **llai** na'r enwadur (y rhif ar y gwaelod) bob tro, fel $\frac{3}{4}$ a $\frac{7}{9}$. Enw arall arno ydy ffracsiwn cyffredin.

ffracsiwn cyffredin (ffracsiynau cyffredin) *eg*

Gweler *ffracsiwn bondrwm.*

Edrychwch hefyd:
rhifiadur, enwadur

ffracsiwn pendrwm
(ffracsiynau pendrwm) *eg*

Mewn ffracsiwn pendrwm mae'r rhifiadur (y rhif ar y top) yn **fwy** na'r enwadur (y rhif ar y gwaelod) bob tro, fel $\frac{5}{2}$ a $\frac{7}{4}$. Mae pob ffracsiwn pendrwm yn fwy nag 1.

Edrychwch hefyd:
rhifiadur, enwadur

ffracsiynau cywerth *ell*

Yr un gwerth sydd i ffracsiynau cywerth ond mae'r rhifiadur (y rhif ar y top) a'r enwadur (y rhif ar y gwaelod) yn gallu bod yn wahanol. Mae'r ffracsiynau hyn yn ffracsiynau cywerth: $\frac{1}{3}$, $\frac{2}{6}$, $\frac{3}{9}$, $\frac{4}{12}$.

G

geometreg *eb*

Rhan o fathemateg ydy geometreg. Mae geometreg yn edrych ar siapiau a symudiad y siapiau hynny.

gradd (graddau) *eb*

Mae dau ystyr i'r gair gradd.
Mae un yn mesur onglau a'r llall yn mesur tymheredd.

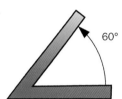

Edrychwch hefyd:
ongl, tro cyfan

- Uned mesur onglau ydy gradd. Rydyn ni'n defnyddio'r symbol ° i ddangos gradd. Mae 360° mewn un tro cyfan.

Edrychwch hefyd:
Celsius, Fahrenheit

- Rydyn ni'n mesur tymheredd ar raddfeydd Celsius a Fahrenheit mewn graddau. Defnyddir y symbol ° i ddangos y graddau hyn hefyd.

graddfa (graddfeydd) *eb*

Mae dau ystyr i'r gair graddfa. Mae un yn disgrifio helaethiad ac rydyn ni'n defnyddio'r llall wrth fesur pethau.

- Os oes rhywbeth wedi'i lunio wrth raddfa yna mae pob rhan ohono wedi'i wneud yn fwy neu'n llai yn ôl yr un maint. Rydyn ni'n defnyddio graddfa wrth wneud model, cynllun neu fap. Os mai 1 : 1000 ydy graddfa map yna mae 1 cm ar y map yn cynrychioli 1000 cm ar y ddaear.

- Mae graddfa hefyd yn gyfres o farciau wedi'u gosod yr un pellter oddi wrth ei gilydd. Er enghraifft, mae graddfa yn cael ei dangos ar thermomedr, pren mesur ac echelin graff.

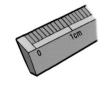

Edrychwch hefyd:

pictogram,

siart cylch

graff (graffiau) *eg*

Mae graff yn dangos gwybodaeth mewn ffordd sy'n hawdd ei deall. Rydyn ni'r gallu gweld y wybodaeth sydd ar graff. Mae gwahanol fathau o graffiau, fel gr. bar, pictogram neu siart cylch.

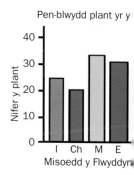

Pen-blwydd plant yr y

Edrychwch hefyd:

fertigol,

llorweddol,

siart bar

graff bar (graffiau bar) *eg*

Mae graff bar yn defnyddio barrau fertigol neu lorweddol i ddangos gwybodaeth. Os ydy'r barrau yn fertigol gallwn alw'r graff yn graff colofn.

Edrychwch hefyd:

graff bar, fertigol,

llorweddol

graff bar-llinell
(graffiau bar-llinell) *eg*

Mae graff bar-llinell yn debyg iawn i graff bar. Yr unig wahaniaeth rhwng y ddau ydy mai llinell sy'n dangos y wybodaeth yn lle bar. Mae'r llinellau yn gallu bod yn fertigol neu'n llorweddol.

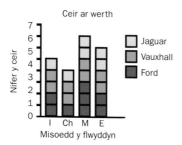

Edrychwch hefyd:

graff bar

graff bloc (graffiau bloc) *eg*

Mae graff bloc yn debyg iawn i graff bar. Y gwahaniaeth rhwng y ddau ydy fod y colofnau yn cael eu ffurfio gan flociau unigol sydd wedi'u cysylltu â'i gilydd.

graff colofn (graffiau colofn) *eg*

Gweler *graff bar*.

Edrychwch hefyd:

data di-dor

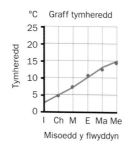

graff llinell (graffiau llinell) *eg*

Rydyn ni'n defnyddio graff llinell i gysylltu pwyntiau a graff gyda'i gilydd. Byddwn ni'n defnyddio'r graffiau hyn i ddangos data di-dor sy'n newid dros gyfnod o amser, er enghraifft, tymheredd.

drychwch hefyd:
ned, trawsnewid

graff trawsnewid
(graffiau trawsnewid) *eg*

Gallwn ddefnyddio graff trawsnewid i newid rhywbeth o un uned i uned arall. Er enghraifft, rydyn ni'n eu defnyddio i newid punnoedd yn ewros, graddau Celsius yn raddau Fahrenheit a ffracsiynau yn ganrannau.

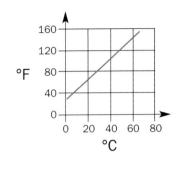

drychwch hefyd:
màs

1 g

gram (gramau) *eg*

Uned fetrig i fesur màs ydy gram (g).
Mae 1000 gram mewn un cilogram (kg).
Mae tua 28 gram mewn owns (mesur imperial).

drychwch hefyd:
tynnu

gwahaniaeth (gwahaniaethau) *eg*

Y gwahaniaeth rhwng dau rif ydy faint yn fwy neu'n llai ydy un rhif na'r rhif arall. I ddod o hyd i'r gwahaniaeth rhwng dau rif rydyn ni'n tynnu un rhif o'r rhif arall. Y gwahaniaeth rhwng 27 a 21 ydy 6, gan fod 27 − 21 = 6.

drychwch hefyd:
rhannu'n union

gweddill (gweddillion) *eg*

Y gweddill ydy faint sydd dros ben ar ôl rhannu rhifau sydd ddim yn rhannu'n union i'w gilydd. Er enghraifft, 9 ÷ 4 ydy 2 gweddill 1 (neu 2 g1).

drychwch hefyd:
adio, tynnu,
lluosi, rhannu,
trawsffurfiad

gweithrediad (gweithrediadau) *eg*

Gweithrediad ydy'r broses o wneud rhywbeth pendant i rifau neu siapiau. Mae adio, tynnu, lluosi, rhannu a'r trawsffurfiadau i gyd yn weithrediadau.

drychwch hefyd:
gweithrediad,
dio, tynnu, lluosi,
rhannu,
adlewyrchiad

gweithrediad gwrthdro (gweithrediadau gwrthdro) *eg*

Ystyr gwrthdro ydy gwrthwyneb. Y gweithrediad gwrthdro i adio ydy tynnu a'r gweithrediad gwrthdro i dynnu ydy adio, gan fod un yn 'dadwneud' y llall. Mae lluosi a rhannu hefyd yn weithrediadau gwrthdro. Mae adlewyrchiad yn weithrediad gwrthdro iddo'i hun.

gwerth (gwerthoedd) *eg*

Edrychwch hefyd:

gwerth lle

Gwerth rhywbeth ydy'r pwysigrwydd sydd i'r peth hwnnw.

- Mewn rhifau, gwerth y tri yn 345 ydy tri chant ond gwerth y tri yn 0·38 ydy tri degfed.
- Mae gwerth potel o cola yn 85c ond mae gwerth set deledu yn gallu bod yn £1500.

gwerth lle (gwerthoedd lle) *eg*

Edrychwch hefyd:

digid

Mae gwerth lle yn golygu bod safle digid mewn rhif yn dangos ei werth. Mae'r saith yn 78 yn werth saith deg, y saith yn 7248 yn werth saith mil a'r saith yn 23·73 yn werth saith degfed.

gwrthglocwedd *ans*

Edrychwch hefyd:

clocwedd

Un o'r ddau gyfeiriad troi ydy gwrthglocwedd, sef y gwrthwyneb i'r ffordd mae bysedd cloc analog yn troi.

H

hafal *ans*

Edrychwch hefyd:

hafalnod, hafaliad

Gair sy'n disgrifio pethau â'r un gwerth neu faint ydy hafal. Mae'r ddwy och i hafalnod yn dangos yr un gwerth, fel $5 + 3 = 8$ a $9 - 4 = 3 + 2$

hafaliad (hafaliadau) *eg*

Edrychwch hefyd:

hafalnod, hafal

Brawddeg fathemategol sy'n defnyddio hafalnod ydy hafaliad. Mae'r ddwy ochr i'r arwydd yn dangos yn union yr un gwerth. Dyma ddau hafaliad:

$$3 \times 7 = 21$$
$$x = 6 - y \text{ (lle mae } x = 5 \text{ pan mae } y = 1).$$

hafalnod (hafalnodau) *eg*

Edrychwch hefyd:

arwydd, hafaliad,

hafal

Hafalnod ydy'r arwydd $=$ sy'n dangos bod dwy ochr hafaliad yn union haf Cafodd ei ddefnyddio gyntaf gan Robert Recorde, mathemategydd o Gymru mewn llyfr a gyhoeddwyd yn 1557.

haneru *be*

Rydyn ni'n haneru rhywbeth pan fyddwn yn ei rannu yn ddwy ran sydd yr un faint.

drychwch hefyd:

hafal

hanner (haneri) *eg*

Un rhan o rywbeth cyfan sydd wedi'i rannu yn ddwy ran hafal ydy hanner. Gallwn ei ysgrifennu fel ffracsiwn ($\frac{1}{2}$), fel degolyn (0·5) neu fel canran (50%).

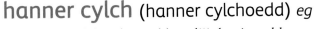

drychwch hefyd:

cylch, hafal

hanner cylch (hanner cylchoedd) *eg*

Un rhan o gylch cyfan sydd wedi'i dorri yn ddwy ran hafal ydy hanner cylch.

drychwch hefyd:

tro cyfan,
ongl sgwâr,
chwarter tro,
ongl syth

hanner tro (hanner troeon) *eg*

Mae un tro cyfan yn 360°. Mae hanner tro yn 180° neu'n ddwy ongl sgwâr.

drychwch hefyd:

tebygolrwydd

hap *ans*

Mae rhywbeth yn digwydd ar hap os ydy'n digwydd heb fod trefn arbennig yn perthyn iddo.

drychwch hefyd:

dau ddimensiwn

hecsagon (hecsagonau) *eg*

Mae hecsagon yn siâp dau ddimensiwn sydd â chwe ochr syth a chwe ongl.

helaethiad (helaethiadau) *eg*

Edrychwch hefyd:
ffactor graddfa,
trawsffurfiad

Mae helaethiad yn gwneud rhywbeth yn fwy neu'n llai yn ôl ffactor graddfa, ond nid ydy'n newid ei siâp. Bydd helaethu â ffactor graddfa mwy nag 1 yn gwneud y siâp yn fwy a bydd helaethu â ffactor graddfa llai nag 1 yn gwneud y siâp yn llai. Mae helaethiad yn un o'r 4 math o drawsffurfiad.

hemisffer (hemisfferau) *eg*

Edrychwch hefyd:
tri dimensiwn,
sffêr

Siâp tri dimensiwn sy'n hanner sffêr ydy hemisf
Gallwn rannu'r Ddaear yn Hemisffer y Gogled
Hemisffer y De.

heptagon (heptagonau) *eg*

Edrychwch hefyd:
dau ddimensiwn

Mae heptagon yn siâp dau ddimensiwn sydd â saith ochr syth a saith ongl.

hirgrwn *ans*

Gweler *elips*.

hirsgwar (hirsgwariau) *eg*

Gweler *petryal*.

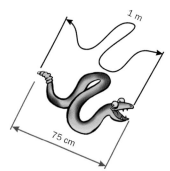

hyd (hydoedd) *eg*

Edrychwch hefyd:
un dimensiwn

Hyd rhywbeth ydy'r pellter o un pen iddo i'r lla
Mae'r neidr yn mesur 1 metr o'i phen i'w chynffon. Er ei bod yn mesur 1 metr gall y pen gynffon fod o fewn 75 cm i'w gilydd!

I

icosahedron (icosahedronau) *eg*

drychwch hefyd:
tri dimensiwn,
wyneb

Siâp tri dimensiwn sydd ag 20 wyneb ydy icosahedron.

Mae'r enw *icosahedron* yn dod o'r Groeg *eikosi* am ugain a *hedra* am sail.

imperial *ans*

Gweler *system imperial.*

L

litr (litrau) *eg*

drychwch hefyd:
cyfaint,
cynhwysedd,
mililitr, peint

Uned fetrig i fesur cyfaint a chynhwysedd ydy litr. Mae 1000 mililitr mewn un litr ac mae un litr tuag 1·75 peint.

Ll

lle degol (lleoedd degol) *eg*

Edrychwch hefyd:
pwynt degol,
gwerth lle

Nifer o ddigidau sydd i'r dde o'r pwynt degol sy'n penderfynu sawl lle degol sydd mewn rhif. Mae dau le degol yn 5·92 ac mae pedwar lle degol yn 7·9613.

Edrychwch hefyd:
pellter, hyd

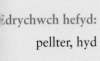

lled (lledau) *eg*

Lled unrhyw siâp ydy'r pellter ar ei draws o un ochr i'r llall.

Edrychwch hefyd:

adlewyrchiad

llinell cymesuredd
(llinellau cymesuredd) *eb*

Mae llinell cymesuredd yn rhannu siâp cymesur
yn ddwy ran, y naill yn adlewyrchiad o'r llall.
Os byddwn ni'n plygu siâp ar hyd llinell cymesuredd
bydd un hanner yn gorchuddio'r hanner arall yn union.
Enw arall ar y llinell cymesuredd ydy'r llinell ddrych.

llinell cymesur⊕

llinell grom (llinellau crwm) *eb*

Gweler *crwm*

Edrychwch hefyd:

ffracsiynau,

rhifau negatif

llinell rif (llinellau rhif) *eb*

Mae llinell rif yn dangos rhifau yn eu trefn ar raddfa.
Mae tâp mesur yn fath o linell rif. Mae llinellau rhif yn
gallu cynnwys ffracsiynau a rhifau negatif.

Edrychwch hefyd:

fertigol

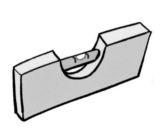

llorweddol *ans*

Ystyr llorweddol ydy gwastad neu fflat.
Meddyliwch am y gorwel – "hen linell bell nad
yw'n bod" – lle mae'r awyr yn cyrraedd y môr
neu'r tir. Mae'r gorwel yn llorweddol.

Edrychwch hefyd:

adio, rhannu,

gweithrediadau

gwrthdro

lluosi *be*

Ffordd gyflym o adio nifer o setiau o'r un rhif ydy lluosi. Yn lle adio
7 + 7 + 7 gallwn feddwl amdano fel 'tri set o saith' neu 'tri saith' a gallwn
ysgrifennu 3 × 7. Mae lluosi a rhannu yn weithrediadau gwrthdro.

Edrychwch hefyd:

lluosi

lluosrif (lluosrifau) *eg*

Lluosrif ydy rhif sydd mewn tabl lluosi. Lluosrifau 7 ydy 7, 14, 21, 28, 35, 4
49, 56, 63, 70, 77, 84, 91 ac yn y blaen fesul saith. Mae lluosrifau deg yn
cynyddu fesul deg ac yn cynnwys 10, 20, 30, ... 110, ... 360, ... 650 ac yn y
blaen. Wedi i ni luosi dau rif mae'r ateb yn lluosrif y ddau rif.

Edrychwch hefyd:
lluosrif,
rhannu'n union

lluosrif cyffredin lleiaf (lluosrifau cyffredin lleiaf) *eg*

Lluosrif cyffredin lleiaf 3, 4 ac 8 ydy 24, gan mai 24 ydy'r rhif lleiaf y mae 3, 4 ac 8 yn rhannu'n union iddo.

Edrychwch hefyd:
lluosi

lluoswm (lluosymiau) *eg*

Lluoswm dau rif ydy'r ateb ar ôl i ni luosi dau rif â'i gilydd.
Lluoswm 2 a 7 ydy 14 gan mai $2 \times 7 = 14$.

M

Edrychwch hefyd:
data, siart cyfrif

marc rhifo (marciau rhifo) *eg*

Rydyn ni'n defnyddio marciau rhifo wrth i ni lenwi siart cyfrif.
Mae un marc yn cynrychioli un darn o wybodaeth. Fel arfer,
rydyn ni'n rhoi'r pumed marc ar draws y lleill er mwyn ei gwneud hi'n haws
adio'r marciau ar y diwedd. Enw arall ar y marciau rhifo ydy rhiciau.

Edrychwch hefyd:
gram, cilogram,
owns

màs (masau) *eg*

Màs rhywbeth ydy faint o fater sydd ynddo. Yn aml iawn rydyn ni'n camddefnyddio'r gair pwysau pan ydyn ni'n golygu màs. Wrth fynd i'r gofod bydd gofodwyr yn pwyso llai nag ydyn nhw ar y Ddaear, ond mae eu màs yn aros yr un fath. Yn y system fetrig, rydyn ni'n defnyddio gram (g) a chilogram (kg) i fesur màs. Yn y system imperial rydyn ni'n defnyddio owns (oz), pwys (lb) a stôn (st).

Edrychwch hefyd:
hyd, milimetr,
centimetr, cilometr

metr (metrau) *eg*

Uned fetrig i fesur pellter a hyd ydy metr (m). Mae 100 centimetr (cm) mewn
un metr, ac mae 1000 metr mewn un cilometr (km). Mae un metr ychydig yn
fwy na llathen (mesur imperial).

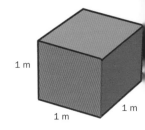

Edrychwch hefyd:

cyfaint,

cynhwysedd

metr ciwbig (metrau ciwbig) *eg*

Uned fetrig i fesur cyfaint a chynhwysedd ydy metr ciwbig (m³).

1 m
1 m
1 m

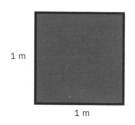

Edrychwch hefyd:

arwynebedd

1 m

1 m

metr sgwâr (metrau sgwâr) *eg*

Uned fetrig i fesur arwynebedd ydy metr sgwâr (m²).

metrig *ans*

Gweler *system fetrig*.

mileniwm (milenia) *eg*

Cyfnod o fil o flynyddoedd ydy mileniwm.

Edrychwch hefyd:

cyfaint,

cynhwysedd,

centimetr ciwbig

mililitr (mililitrau) *eg*

Uned fetrig i fesur cyfaint a chynhwysedd ydy mililitr (ml). Mae 1000 mililitr mewn un litr (l). Mae un mililitr o hylif yn llenwi un centimetr ciwbig (cm³).

Edrychwch hefyd:

hyd, pellter,

centimetr, metr

milimetr (milimetrau) *eg*

Uned fetrig i fesur hyd a phellter ydy milimetr (mm). Mae 10 milimetr mewn centimetr a 1000 milimetr mewn metr.

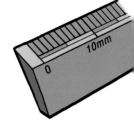

Edrychwch hefyd:

cyfaint,

cynhwysedd

milimetr ciwbig (milimetrau ciwbig) *eg*

Uned fetrig i fesur cyfaint a chynhwysedd ydy milimetr ciwbig (mm³). Mae 1000 milimetr ciwbig mewn un centimetr ciwbig.

drychwch hefyd:

arwynebedd,

centimetr sgwâr

milimetr sgwâr (milimetrau sgwâr) *eg*

Uned fetrig i fesur arwynebedd ydy milimetr sgwâr (mm^2).
Mae 100 milimetr sgwâr mewn un centimetr sgwâr.

miliwn (miliynau) *eb*

Mil o filoedd ydy miliwn. Rydyn ni'n ei ysgrifennu fel 1 000 000.

drychwch hefyd:

system imperial,

hyd, pellter

milltir (milltiroedd) *eb*

Uned imperial i fesur hyd a phellter ydy milltir. Mae 5 milltir tua 8 km.

drychwch hefyd:

tynnu,

rhifau negatif

minws *eg*

Ystyr minws ydy tynnu. Rydyn ni'n defnyddio'r arwydd $-$ i'w ddangos.

drychwch hefyd:

cyfartaledd,

canolrif, cymedr

modd (moddau) *eg*

Mae modd yn un o'r tri math o gyfartaledd. Y modd ydy'r gwerth sy'n
ymddangos amlaf mewn rhestr o werthoedd. Cafodd Anwen y marciau hyn
mewn prawf: 5, 5, 9, 15 ac 16. Y modd felly ydy 5 gan ei fod yn ymddangos
yn fwy aml na'r gwerthoedd eraill.

drychwch hefyd:

system imperial,

hyd, pellter

modfedd (modfeddi) *eb*

Uned imperial i fesur hyd a phellter. Mae 4 modfedd tua 10 cm.

N

drychwch hefyd:

algebra

newidyn (newidynnau) *eg*

Newidyn ydy rhywbeth sy'n gallu newid ei werth. Mewn
mathemateg, rydyn ni'n aml yn defnyddio llythyren i'w ddangos,
fel yn $a + b = 12$. Yma mae a a b yn gallu cael nifer o werthoedd.
Bydd a yn 0 pan fydd $b = 12$, ac a yn 5 pan fydd $b = 7$ ac felly
ymlaen. Rydyn ni'n defnyddio newidynnau yn aml mewn algebra.

Edrychwch hefyd:
dau ddimensiwn

nonagon (nonagonau) *eg*

Mae nonagon yn siâp dau ddimensiwn sydd â naw ochr syth a naw ongl.

O

Edrychwch hefyd:
dau ddimensiwn

octagon (octagonau) *eg*

Mae octagon yn siâp dau ddimensiwn sydd ag wyth ochr syth ac wyth ongl.

Edrychwch hefyd:
tri dimensiwn

octahedron (octahedronau) *eg*

Siâp tri dimensiwn sydd ag wyth wyneb ydy octahedron.

Mae'r enwau octagon ac octahedron yn dod o'r Groeg *octo* sy'n golygu wyth.

Edrychwch hefyd:
rhannu'n union,
eilrif

odrif (odrifau) *eg*

Rhif cyfan nad ydy'n bosibl ei rannu'n union â 2 i roi rhif cyfan arall ydy odrif. Mae pob rhif sy'n gorffen ag 1, 3, 5, 7, neu 9 yn odrif.

Edrychwch hefyd:
tro cyfan, gradd

ongl (onglau) *eb*

Rhan o dro ydy ongl. Rydyn ni'n mesur onglau mewn graddau (°).

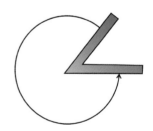

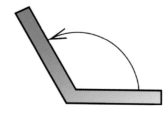

ongl aflem (onglau aflym) *eb*

Mae ongl aflem yn fwy na 90° (90 gradd) ond yn llai na 180°.

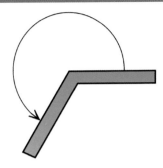

ongl atblyg (onglau atblyg) *eb*

Mae ongl atblyg yn fwy na 180° (180 gradd) ond yn llai na 360°.

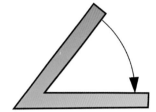

ongl lem (onglau llym) *eb*

Mae ongl lem yn ongl sy'n llai na 90° (90 gradd).

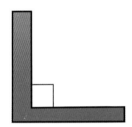

Edrychwch hefyd:

chwarter tro

ongl sgwâr (onglau sgwâr) *eb*

Ongl o 90° (90 gradd) ydy ongl sgwâr. Rydyn ni'n nodi ongl sgwâr drwy roi sgwâr bach ar y llun.

Edrychwch hefyd:

hanner tro

ongl syth (onglau syth) *eb*

Ongl o 180° (180 gradd) ydy ongl syth. Mae'n ongl sydd â'i ddwy linell wedi'u hagor allan yn fflat.

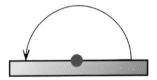

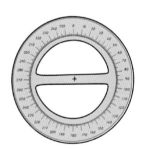

Edrychwch hefyd:

ongl,

gradd

onglydd (onglyddion) *eg*

Mesurydd onglau ydy onglydd. Rydyn ni'n ei ddefnyddio i fesur sawl gradd sydd mewn ongl.

Edrychwch hefyd:

màs,

system imperial

1 owns

owns (ownsys) *eg*

Uned imperial i fesur màs ydy owns (oz). Mae 16 owns mewn pwys (lb). Mae un owns tua 28 gram (g).

P

Edrychwch hefyd:

crwm

paralel *ans*

Mae llinellau paralel yn cadw yr un pellter oddi wrth ei gilydd bob amser. Maen nhw'n gallu bod yn llinellau syth neu'n llinellau crwm. Does dim rhaid iddyn nhw fod yr un hyd â'i gilydd. Dydy llinellau paralel byth yn cyfarfod â'i gilydd. Rydyn ni'n defnyddio'r saethau sydd yn y lluniau i ddangos bod llinellau yn baralel i'w gilydd.

Edrychwch hefyd:

dau ddimensiwn,

cyferbyn,

pedrochr

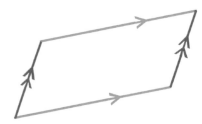

paralelogram
(paralelogramau) *eg*

Mae paralelogram yn bedrochr sydd â'i ddau bâr o ochrau cyferbyn yn baralel i'w gilydd.

Edrychwch hefyd:

dau ddimensiwn

pedrochr (pedrochrau) *eg/eb*

Siâp dau ddimensiwn sydd â phedair ochr syth ydy pedrochr. Mae sgwâr, petryal, rhombws, trapesiwm, paralelogram a barcut i gyd yn bedrochrau.

Edrychwch hefyd:

cyfaint,

cynhwysedd,

system imperial

peint (peintiau) *eg*

Uned imperial i fesur cyfaint a chynhwysedd ydy peint. Mae un peint ychydig yn fwy na $\frac{1}{2}$ litr.

drychwch hefyd:

hyd

pellter (pellterau) *eg*

Pellter ydy pa mor bell oddi wrth ei gilydd mae dau bwynt.

drychwch hefyd:

dau ddimensiwn

pentagon (pentagonau) *eg*

Siâp dau ddimensiwn sydd â phum ochr syth a phum ongl ydy pentagon.

drychwch hefyd:

vlchyn, cylchedd

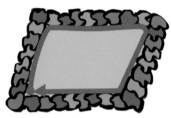

perimedr (perimedrau) *eg*

Perimedr ydy'r pellter yr holl ffordd o gwmpas siâp dau ddimensiwn. Rydyn ni'n ei fesur mewn centimetrau, metrau neu unrhyw uned arall sy'n mesur hyd. Yr enw ar berimedr cylch ydy cylchedd.

drychwch hefyd:

ongl sgwâr

perpendicwlar *ans*

Llinell berpendicwlar ydy'r enw ar linell sydd ar ongl sgwâr i linell arall.

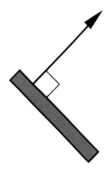

drychwch hefyd:

alel, ongl sgwâr,

sgwâr

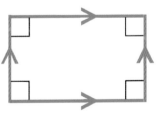

petryal (petryalau) *eg*

Mae petryal yn siâp â phedair ochr syth sydd â dwy set o ochrau paralel sy'n cyfarfod ar ongl sgwâr. Mae sgwâr yn fath arbennig o betryal sydd â'i ochrau i gyd yr un hyd.

Edrychwch hefyd:

data

pictogram (pictogramau) *eg*

Mae pictogram yn graff sy'n defnyddio lluniau i ddangos gwybodaeth.

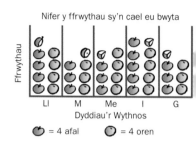

Edrychwch hefyd:

arwyneb

plân (planau) *eg*

Arwyneb fflat, gwastad ydy plân. Mae pob siâp plân fel triongl neu sgwâr y siâp fflat, dau ddimensiwn.

Edrychwch hefyd:

arwydd, adio

plws (plysau) *eg*

Ystyr plws ydy adio. Rydyn ni'n defnyddio'r arwydd + i'w ddangos.

Edrychwch hefyd:

cloc pedair awr ar hugain, a.m.

p.m.

Mae p.m. yn sefyll am y geiriau Lladin *post meridiem*. Hwn ydy'r cyfnod rhwng canol dydd a chanol nos.

Edrychwch hefyd:

dau ddimensiwn

polygon (polygonau) *eg*

Mae polygon yn siâp dau ddimensiwn sydd â'i ochrau i gyd yn llinellau syth. Enghreifftiau o bolygonau ydy triongl, sgwâr a hecsagon.

Edrychwch hefyd:

polygon, rheolaidd

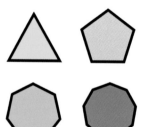

polygon rheolaidd
(polygonau rheolaidd) *eg*

Mae polygon rheolaidd yn siâp dau ddimensiwn sydd â'i ochrau yr un hyd a phob ongl yr un maint.

Edrychwch hefyd:

tri dimensiwn

polyhedron (polyhedronau) *eg*

Siâp tri dimensiwn sydd ag wynebau fflat ydy polyhedron. Mae ciwb, ciwboid a phrism triongl yn bolyhedronau.

drychwch hefyd:

polyhedron,

rheolaidd

polyhedron rheolaidd
(polyhedronau rheolaidd) *eg*

Mae polyhedron rheolaidd yn siâp tri dimensiwn sydd â'i wynebau i gyd yn bolygonau rheolaidd sy'n union debyg i'w gilydd. Mae 5 math o bolyhedron rheolaidd: tetrahedron, ciwb, octahedron, dodecahedron ac icosahedron.

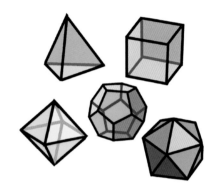

drychwch hefyd:

tebygolrwydd

posibl *ans*

Rydyn ni'n dweud bod rhywbeth yn bosibl os oes unrhyw siawns y bydd yn digwydd. Wrth i ni daflu dis mae hi'n bosibl i ni gael 'chwech'. Os ydyn ni wedi prynu tocyn raffl mewn ffair mae hi'n bosibl y byddwn ni'n ennill.

drychwch hefyd:

tri dimensiwn

prism (prismau) *eg*

Siâp tri dimensiwn sydd â'r un croestoriad ar draws ei hyd i gyd ydy prism. Mae ciwboid, silindr a phrism triongl yn brismau.

drychwch hefyd:

tri dimensiwn,

petryal

prism petryal (prismau petryal) *eg*

Siâp tri dimensiwn sydd ag wynebau petryal o'r un maint ar ei ddau ben ydy prism petryal. Mae pob trawstoriad sy'n baralel i'r wynebau petryal yn union debyg i'r wyneb ar y pen. Mae ciwboid yn enw arall arno.

drychwch hefyd:

awstoriad, wyneb

prism triongl (prismau triongl) *eg*

Siâp tri dimensiwn sydd ag wynebau trionglog o'r un maint ar ei ddau ben ydy prism triongl. Mae pob trawstoriad sy'n baralel i'r wynebau trionglog yn union debyg i'r wyneb ar y pen.

pumed (pumedau) *eg*

Un rhan o rywbeth cyfan sydd wedi'i rannu yn bump o rannau hafal ydy pumed. Gallwn ei ysgrifennu fel ffracsiwn ($\frac{1}{5}$), fel degolyn (0·2) neu fel canran (20%).

punt (punnoedd) *eb*

Uned arian ydy punt. Rydyn ni'n defnyddio'r arwydd £ i ddangos punt.

Edrychwch hefyd:

lle degol

pwynt degol (pwyntiau degol) *eg*

Mae pwynt degol yn gwahanu rhifau cyfan oddi wrth rifau eraill sy'n llai na 1, er enghraifft 4·23.

Mae'r gair degol yn dod o'r Groeg am ddeg, sef *decâ*.

Edrychwch hefyd:

màs,
system imperial

pwys (pwysi) *eg*

Uned imperial i fesur màs ydy pwys. Mae ganddo'r symbol lb. Mae 16 owns mewn pwys ac mae 1 pwys ychydig yn llai na hanner cilogram.

Edrychwch hefyd:

tri dimensiwn,
polygon, wyneb,
fertig, sylfaen,
tetrahedron

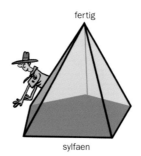

fertig

sylfaen

pyramid (pyramidiau) *eg*

Mae pyramidiau yn siapiau tri dimensiwn sydd â pholygon yn sylfaen iddyn nhw. Hefyd mae ganddyn nhw wynebau trionglog sy'n cyfarfod mewn un fertig.

Tetrahedron ydy'r enw ar byramid â sylfaen trionglog.

Mae pyramidiau enwog yr Aifft yn enghreifftiau o byramidiau â sylfaen sgwâr.

R

radiws (radiysau) *eg*

Radiws ydy'r pellter o ganol cylch hyd at ei gylchyn. Mae'n hanner hyd diamedr y cylch.

drychwch hefyd:

cylch, cylchyn,

diamedr

Rh

rhanbarth (rhanbarthau) *eg*

Rhan o arwyneb ydy rhanbarth. Mae llinell cymesuredd yn rhannu sgwâr yn ddau ranbarth hafal. Mae rhanbarthau gwahanol i'w gweld ar fapiau, er enghraifft, Parciau Cenedlaethol neu'r caeau sy'n perthyn i fferm.

Edrychwch hefyd:

lluosi,

gweithrediad

gwrthdro,

rhannu'n union,

rhannydd

rhannu *be*

Rydyn ni'n defnyddio'r arwydd ÷ i ddangos rhannu.
Mae rhannu a lluosi yn weithrediadau gwrthdro.
Er enghraifft, mae $12 ÷ 3 = 4$ $(12 = 4 × 3)$
ac mae $11 ÷ 2 = 5·5$ $(11 = 5·5 × 2)$.

Edrychwch hefyd:

gweddill

rhannu'n union *be*

Rydyn ni'n dweud bod un rhif yn rhannu'n union i rif arall os ydy'r rhif yn rhannu heb adael gweddill. Mae 3 yn rhannu'n union i 39 ac mae 17 yn rhannu'n union i 153.

Edrychwch hefyd:

rhannu

rhannydd (rhanyddion) *eg*

Y rhannydd ydy'r rhif rydyn ni'n ei ddefnyddio i rannu. Pump ydy'r rhannydd yn y ddwy enghraifft yma $35 ÷ 5$ a $\frac{70}{5}$.

Edrychwch hefyd:
polygon rheolaidd,
polyhedron
rheolaidd

rheolaidd *ans*

Mae polygon yn bolygon rheolaidd os ydy ei ochrau i gyd yn hafal a'i onglau i gyd yn hafal. Mae polyhedron yn bolyhedron rheolaidd os ydy ei wynebau i gyd yn bolygonau rheolaidd sy'n union debyg i'w gilydd.

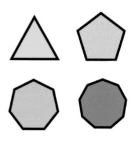

rhic (rhiciau) *eg*

Gweler *marc rhifo*.

Edrychwch hefyd:
rhif cyfan,
rhif negatif,
rhif cymysg,
ffracsiwn, degolyn,
rhif positif

rhif (rhifau) *eg*

Mae rhif yn symbol neu'n grŵp o symbolau sy'n dangos y nifer o rywbeth sydd gennym. Mae mathau gwahanol o rifau: rhif cyfan, rhif negatif, rhif cymysg, ffracsiwn a degolyn. Mae rhai rhifau yn perthyn i fwy nag un math. Dyma rai enghreifftiau: 7 (rhif cyfan, rhif positif), $-3\frac{1}{4}$ (rhif cymysg, rhif negatif), 45·8 (rhif cymysg, degolyn, rhif positif).

Edrychwch hefyd:
ciwb

rhif ciwb (rhifau ciwb) *eg*

Gallwn greu rhif ciwb drwy luosi rhif ag ef ei hun ac yna lluosi'r ateb â'r rhif unwaith eto. Mae 27 yn enghraifft o rif ciwb ($3 \times 3 \times 3 = 3^3 = 27$).

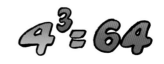

Y pum rhif ciwb cyntaf ydy
1 ($=1^3$), 8 ($=2^3$), 27 ($=3^3$), 64 ($=4^3$), 125 ($=5^3$).

rhif cyfan (rhifau cyfan) *eg*

Rhifau cyfan ydy'r rhifau positif, negatif a sero sydd ddim yn cynnwys ffracsiynau na degolion. Er enghraifft, mae 0, 1, -5, 8, -27 a 634 yn rhifau cyfan ond nid ydy 17·6 na $-9\frac{1}{2}$ yn rhifau cyfan.

rhif cymysg (rhifau cymysg) *eg*

Mae rhif cymysg fel $5\frac{1}{4}$ yn cynnwys rhif cyfan (5) a ffracsiwn ($\frac{1}{4}$).
Mae rhif cymysg yn gallu bod yn rhif negatif fel $-3\frac{1}{2}$.

drychwch hefyd:
ffactor

rhif cysefin (rhifau cysefin) *eg*

Mae rhif cysefin yn rhif sydd â dwy ffactor yn unig, y rhif ei hun ac 1. Mae'r rhifau 2, 3, 5, 7, 11, 13 a llawer mwy yn rhifau cysefin. Dydy 1 ddim yn rhif cysefin gan mai un ffactor yn unig sydd ganddo.

drychwch hefyd:
minws

rhif negatif (rhifau negatif) *eg*

Rhifau negatif ydy'r rhifau sy'n llai na sero. Mae'r arwydd minws o'u blaenau, fel -32 a -9, sy'n dangos eu bod nhw'n llai na sero. Mae'r rhif -32 yn llai na -9, gan fod -32 yn 32 llai na sero a -9 yn 9 llai na sero.

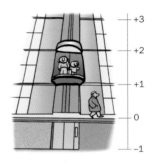

drychwch hefyd:
petryal

rhif petryal (rhifau petryal) *eg*

Rhifau petryal ydy'r rhifau y gallwn eu dangos mewn patrwm o ddotiau sy'n gwneud siâp petryal llawn. Mae'n rhaid i'r petryal fod â mwy nag un rhes o ddotiau. Mae 6, 8, 9 ac 18 yn enghreifftiau o rifau petryal. Mae pob eilrif, ar wahân i 2, yn rhif petryal.

drychwch hefyd:
sero

rhif positif (rhifau positif) *eg*

Rhifau positif ydy'r rhifau hynny sy'n fwy na sero, fel 7, $68\frac{1}{2}$ a 0·19.

Edrychwch hefyd:

sgwâr

rhif sgwâr (rhifau sgwâr) eg

Rhifau sgwâr ydy'r rhifau y gallwn eu dangos mewn patrwm o ddotiau sy'n gwneud sgwâr llawn. Rydyn ni'n cael rhif sgwâr wrth luosi rhif ag ef ei hun. Enghreifftiau o rifau sgwâr ydy 1, 4, 9, 16, 25 ac yn y blaen.

Edrychwch hefyd:

triongl

rhif triongl (rhifau triongl) eg

Rhifau triongl ydy'r rhifau y gallwn eu dangos mewn patrwm o ddotiau sy'n gwneud triongl llawn. Enghreifftiau o rifau triongl ydy 1, 3, 6, 10, 15 ac yn y blaen.

Edrychwch hefyd:

ffracsiwn, enwadur

rhifiadur (rhifiaduron) eg

Y rhifiadur ydy'r rhif sydd ar dop unrhyw ffracsiwn. Mae'n dangos i ni sawl rhan o rywbeth sydd gennym. Yn y ffracsiwn $\frac{2}{5}$ y rhifiadur ydy 2.

rhifolyn (rhifolion) eg

Symbolau ydy rhifolion ac rydyn ni'n eu defnyddio i ysgrifennu rhifau. Mae 7 a 96 yn rhifolion.

Edrychwch hefyd:

paralelogram,

sgwâr

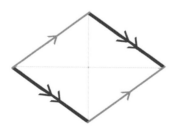

rhombws (rhombi) eg

Mae rhombws yn baralelogram sydd â'i ochra gyd yr un hyd. Mae sgwâr yn fath arbennig o rombws sydd â phedair ongl sgwâr.

drychwch hefyd:
dau ddimensiwn,
tri dimensiwn

rhwyd (rhwydi) *eb*

Mae rhwyd yn siâp dau ddimensiwn y gallwn ei blygu i wneud siâp tri dimensiwn. Os byddwch chi'n agor bocs nes ei fod yn gwbl fflat (gan dorri ar hyd rhai o'i ochrau) bydd rhwyd y bocs gennych chi.

drychwch hefyd:
yd, cledr, cufydd

rhychwant (rhychwantau) *eg*

Hen uned i fesur hyd ydy rhychwant. Hwn ydy'r pellter wedi i chi agor eich bysedd yn llawn o ben eich bawd at ben eich bys bach. Mae un rhychwant yn mesur tua 18 cm.

S

drychwch hefyd:
cylch, radiws,
cylchyn, arc

sector (sectorau) *eg*

Rhan o gylch ydy sector ac mae'n debyg o ran siâp i ddarn o *pizza*. Mae dau radiws a'r arc sy'n rhan o'r cylchyn sydd rhyngddyn nhw yn ymylon iddo.

drychwch hefyd:
rhif,
llinell rif

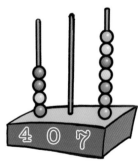

sero (seroau) *eg*

Enw arall ar sero ydy dim ac rydyn ni'n ei ysgrifennu fel '0'. Mae'r rhif sero yn gallu gwneud nifer o bethau. Mewn rhif fel 407 mae'n dangos bod dim degau (neu byddai'r rhif yn edrych fel 47) ac mewn rhif fel 0·04 mae'n dangos nad oes degau na degfedau. Hwn hefyd ydy'r rhif sy'n gwahanu'r rhifau positif o'r rhifau negatif ar linell rif, fel ar raddfa thermomedr.

drychwch hefyd:
diagram Venn,
diagram Carroll

set (setiau) *eb*

Casgliad o bethau ydy set. Er enghraifft, set o sosbenni neu set o offer geometreg. Mae rhifau sgwâr neu rifau sy'n lluosrifau 7 yn enghreifftiau o setiau. Gallwn ddangos setiau drwy ddefnyddio diagram Venn neu ddiagram Carroll.

sffêr (sfferau) *eg*

Edrychwch hefyd:
tri dimensiwn,
arwyneb,
crwn, crwm

Mae sffêr yn siâp tri dimensiwn sy'n berffaith grwn, fel pêl. Dim ond un arwyneb sydd gan sffêr.

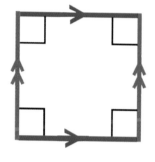

sgwâr (sgwariau) *eg*

Mae dau ystyr i'r gair sgwâr. Siâp dau ddimensiwn ydy un ohonyn nhw a rhif ydy'r llall.

Edrychwch hefyd:
petryal, rhombws

- Mae sgwâr yn betryal sydd â phedair ochr yr un hyd a phedair ongl 90° (90 gradd). Mae ochrau cyferbyn sgwâr yn baralel.

Edrychwch hefyd:
lluosi, rhif sgwâr

- Cawn rif sgwâr wrth luosi rhif ag ef ei hun, er enghraifft 5×5. Rydyn ni'n ysgrifennu hyn fel 5^2 ac yn dweud 'pump sgwâr' neu 'pump wedi'i sgwario'.

sgwario *be*

Gweler *sgwâr*.

siâp solet (siapiau solet) *eg*

Edrychwch hefyd:
tri dimensiwn

Siapiau sydd â thri dimensiwn – hyd, lled ac uchder – ydy siapiau solet. Enw arall arnyn nhw ydy siapiau tri dimensiwn. Mae ciwboid, côn a sffêr yn enghreifftiau o siapiau solet.

siart bar (siartiau bar) *eg*

Edrychwch hefyd:
fertigol, graff bar

Mae siart bar yn defnyddio barrau i ddangos gwybodaeth. Os ydy'r barrau yn fertigol, gallwn alw'r siart yn siart colofn.

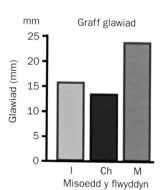

siart colofn (siartiau colofn) *eg*

Gweler *siart bar*.

Edrychwch hefyd:
marc rhifo,
data

siart cyfrif (siartiau cyfrif) *eg*

Ffordd gyflym a hwylus i gofnodi gwybodaeth
fel y mae'n digwydd ydy siart cyfrif. Efallai ein
bod yn cyfrif nifer y ceir sy'n mynd heibio'r
ysgol. Rydyn ni'n defnyddio un marc rhifo neu
un rhic ar gyfer pob un darn o wybodaeth.

Edrychwch hefyd:
cylch, sector,
canran

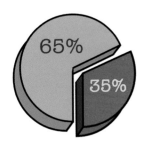

siart cylch (siartiau cylch) *eg*

Mae siart cylch yn edrych fel cacen sydd
wedi'i thorri'n ddarnau. Mae maint pob
darn neu sector yn dangos pa ganran o'r
cyfan sydd yn y sector hwnnw.

Edrychwch hefyd:
tebygolrwydd

sicr

Rydyn ni'n defnyddio'r gair sicr i ddisgrifio
rhywbeth sy'n siŵr o ddigwydd. Mae dydd Llun
yn sicr o ddilyn dydd Sul.

Edrychwch hefyd:
tri dimensiwn,
cylch, prism

silindr (silindrau) *eg*

Mae silindr yn brism sydd â'i ddau ben yn
gylchoedd hafal. Mae rholyn papur cegin a
darn punt yn enghreifftiau da o silindr.

Edrychwch hefyd:
côn, pyramid

sylfaen (sylfeini) *eb*

Sylfaen unrhyw siâp tri dimensiwn ydy'r siâp dau ddimensiwn sydd ar ei
waelod. Cylch ydy sylfaen côn, a sgwâr ydy sylfaen pyramidiau'r Aifft.

symbol (symbolau) *eg*

Gweler *arwydd*.

system fetrig (systemau metrig) *eb*

System fesur a ddefnyddiwyd gyntaf yn Ffrainc yn 1791 ydy'r system fetrig. Erbyn heddiw, mae'n cael ei defnyddio ledled Ewrop ac mewn rhannau eraill o'r byd. Mae'r unedau metrig yn defnyddio rhif deg a phwerau deg (10^2, 10^3, ac yn y blaen). Mae'r system yn cynnwys metrau (m), litrau (l) a chilogramau (kg).

Edrychwch hefyd:
hyd,
cynhwysedd,
màs

system imperial (systemau imperial) *eb*

Mae'r systemau imperial o fesur yn rhan o hen ddull sy'n gwbl wahanol i'r system fetrig. Dyma rai unedau imperial sy'n cael eu defnyddio i fesur hyd, cynhwysedd a màs:

hyd:	12 modfedd = 1 troedfedd
	3 troedfedd = 1 llathen
	1760 llathen = 1 filltir
cynhwysedd	8 peint = 1 galwyn
màs	16 owns = 1 pwys
	14 pwys = 1 stôn

T

Edrychwch hefyd:
marc rhifo

tabl amlder (tablau amlder) *eg*

Ffordd o ddangos pa mor aml mae rhywbeth yn digwydd neu'r nifer o rywbeth sydd gennym ydy tabl amlder. Gallwn wneud tabl amlder ar ôl defnyddio siart cyfrif i gofnodi nifer y plant sy'n gwylio S4C bob dydd.

Oriau gwylio S4C bob dydd		
	Marciau rhifo	Cyfansw
1 awr	||||| ||	7
2 awr	|||	3
3 awr	||	2
Mwy na 3 awr			1

Edrychwch hefyd:
hyd, uchder

taldra *eg*

Taldra ydy mesur hyd fertigol rhywbeth fel coeden neu berson sy'n sefyll ar ei draed.

54

Edrychwch hefyd:

brasamcan,
amcangyfrif

talgrynnu i fyny/i lawr *be*

Rydyn ni'n talgrynnu rhifau i fyny neu i lawr pan fyddwn ni eisiau brasamcan neu amcangyfrif o ateb i gwestiwn. Weithiau, rydyn ni'n talgrynnu rhif i'r 10 neu'r 100 agosaf. Rydyn ni'n aml yn talgrynnu rhifau degol i'r rhif cyfan agosaf, fel bod 2·8 yn dod yn 3 a 9·25 yn dod yn 9.

Edrychwch hefyd:

echelin, cyfesuryn

tarddbwynt (tarddbwyntiau) *eg*

Tarddbwynt graff ydy'r pwynt lle mae'r echelinau yn croesi. Cyfesurynnau'r tarddbwynt ydy (0, 0).

Edrychwch hefyd:

teg, sicr, posibl,
amhosibl

tebygolrwydd (tebygolrwyddau) *eg*

Tebygolrwydd ydy pa mor debygol neu beth ydy'r siawns y bydd rhywbeth yn digwydd. Wrth i ni rolio dis teg, y tebygolrwydd o gael 'pump' ydy un mewn chwech neu $\frac{1}{6}$ gan fod y chwe rhif sydd ar y dis yn bosibl.

Gallwn gyfrifo'r tebygolrwydd o dynnu pêl ddu o fag sy'n dal peli gwyn a pheli du, os ydyn ni'n gwybod faint o beli o'r ddau liw sydd yn y bag.

Edrychwch hefyd:

canlyniad,
tebygolrwydd

teg *ans*

Rydyn ni'n dweud bod rhywbeth yn deg pan mae'r canlyniadau i gyd yn hafal debygol. Hynny yw, dydy un canlyniad ddim yn fwy tebygol o ddigwydd na'r lleill. Os ydy dis yn un teg yna mae'r un siawns gennym o daflu 1, 2, 3, 4, 5 neu 6.

Edrychwch hefyd:

tri dimensiwn,
pyramid,
triongl hafalochrog

tetrahedron (tetrahedronau) *eg*

Siâp tri dimensiwn sydd â phedwar wyneb trionglog ydy tetrahedron. Mae'n byramid ar sylfaen trionglog. Os ydy'r wynebau yn bedwar triongl hafalochrog yna mae'r tetrahedron yn un rheolaidd.

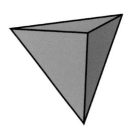

traean (traeanau) *eg*

Un rhan o rywbeth cyfan sydd wedi'i rannu yn dair o rannau hafal ydy traean. Gallwn ei ysgrifennu fel ffracsiwn ($\frac{1}{3}$), fel degolyn (0·$\dot{3}$) neu fel canran (33$\frac{1}{3}$

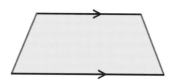

trapesiwm (trapesiymau) *eg*

Mae trapesiwm yn bedrochr ag un pâr o'i ochra yn baralel i'w gilydd.

trawsfudiad (trawsfudiadau) *eg*

Mae trawsfudiad yn symud siâp i fyny, i lawr, i'r dde, i'r chwith neu'n groeslinol, heb ei droi na'i wneud yn fwy nac yn llai. Mae trawsfudiad yn un o'r 4 math o drawsffurfiad.

trawsffurfiad (trawsffurfiadau) *eg*

Ffordd o symud neu newid siâp ydy trawsffurfiad. Mae pedwar math o drawsffurfiad sef trawsfudiad, adlewyrchiad, cylchdro a helaethiad.

trawsnewid *be*

Ystyr trawsnewid ydy newid rhywbeth i ffurf wahanol ond cadw'r gwerth yr un fath. Wrth ymweld â gwlad arall yn Ewrop byddwch chi eisiau newid eich punnoedd yn ewros. Gallwn drawsnewid ffracsiynau yn ddegolion neu ganrannau, felly bydd $\frac{2}{5}$ yn newid yn 0·4 neu 40%.

trawstoriad (trawstoriadau) *eg*

Trawstoriad ydy'r siâp rydyn ni'n ei gael wrth i ni dorri ar draws rhywbeth, fel afal neu goeden. Mae trawstoriad prism triongl yn gallu bod yn driongl neu'n betryal.

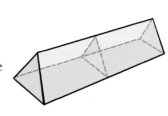

trefn ddisgynnol
(trefnau disgynnol) *eb*

Mewn trefn ddisgynnol mae'r rhifau'n mynd yn llai. Gallwn roi'r rhifau 5, 2, 18, 9, 11 mewn trefn ddisgynnol fel hyn: 18, 11, 9, 5, 2.

Edrychwch hefyd:
cynyddol

trefn esgynnol **(trefnau esgynnol)** *eb*

Mewn trefn esgynnol mae'r rhifau'n mynd yn fwy. Mae'r rhifau 2, 5, 9, 11, 18 mewn trefn esgynnol.

Edrychwch hefyd:
dimensiwn,
un dimensiwn,
dau ddimensiwn

tri dimensiwn *eg ac ans*

Mesur o faint a siâp ydy dimensiwn. Mae gan siapiau tri dimensiwn fesur mewn tri chyfeiriad – hyd, lled ac uchder (neu ddyfnder). Enw arall arnyn nhw ydy siapiau 3-D. Mae ciwboid, prism a sffêr yn enghreifftiau ohonyn nhw. Mae siapiau tri dimensiwn yn gallu bod yn solet neu'n wag.

Edrychwch hefyd:
dau ddimensiwn

triongl **(trionglau)** *eg*

Mae triongl yn siâp dau ddimensiwn sydd â thair ochr syth a thair ongl.

Edrychwch hefyd:
triongl

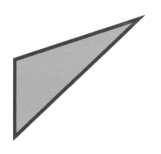

triongl anghyfochrog
(trionglau anghyfochrog) *eg*

Mae pob ochr a phob ongl mewn triongl anghyfochrog o faint gwahanol.

triongl hafalochrog
(trionglau hafalochrog) *eg*

Mae hyd pob ochr mewn triongl hafalochrog yr
un maint. Mae'r tair ongl yn 60° yr un.

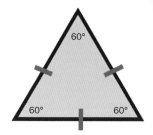

Edrychwch hefyd:

triongl

triongl isosgeles (trionglau isosgeles) *e*

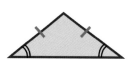

Mae hyd dwy ochr triongl isosgeles yr un maint, ac mae
dwy ongl hefyd yr un maint.

Mae'r gair *isosgeles* yn dod o'r Groeg ac mae'n golygu
'dwy goes o'r un hyd'.

Edrychwch hefyd:

triongl

triongl ongl sgwâr
(trionglau ongl sgwâr) *eg*

Mae un o'r onglau mewn triongl ongl sgwâr
yn mesur 90° (90 gradd).

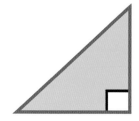

Edrychwch hefyd:

ongl sgwâr

tro cyfan (troeon cyfan) *eg*

Mae tro cyfan yn gylchdro sy'n mesur 360°.

Edrychwch hefyd:

cylchdro, gradd

tynnu *be*

Mae tynnu un rhif o rif arall yn golygu dod o hyd i'r gwahaniaeth rhwng y
ddau. Rydyn ni'n defnyddio'r arwydd − i
ddangos tynnu. Mae tynnu ac adio yn
weithrediadau gwrthdro.

Edrychwch hefyd:

gwahaniaeth,

arwydd, adio,

gweithrediad

gwrthdro,

minws

U

uchder (uchderau) *eg*

Uchder ydy mesur hyd fertigol rhywbeth fel drws, tŵr neu fynydd. Uchder siâp dau ddimensiwn ydy'r pellter o'r sail i'r top.

ugain (ugeiniau) *eg*

Enw arall ar ddau ddeg ydy ugain.

un dimensiwn *eg ac ans*

Mesur o faint a siâp ydy dimensiwn. Un dimensiwn yn unig sydd gan linell, sef ei hyd.

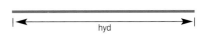

uned (unedau) *eb*

Mae dau ystyr i'r gair uned. Mae un yn rhif, ac rydyn ni'n defnyddio'r llall bob tro y byddwn ni'n mesur rhywbeth.

- Mewn rhif cyfan, y digid sydd ar y dde ydy digid yr unedau. Dyma'r digid sy'n dweud wrthyn ni sawl un, neu sawl uned sydd gennym yn hytrach na sawl deg, cant, degfed ac yn y blaen. Mewn degolyn, hwn ydy'r rhif ar ochr chwith y pwynt degol. Mae'r uned wedi'i lliwio'n goch yn y rhifau hyn: 3, 4876, 39, 40, 5·5, 0·73.

- Wrth fesur rydyn ni'n defnyddio unedau fel metr, gram, mililitr neu eiliad. Pan fyddwn ni'n cofnodi unrhyw fesur rhaid i ni nodi'r uned yn ogystal â'r rhif, er enghraifft, 8·24 metr, 37 gram, 1·4 milimetr, 25 eiliad. Rydyn ni'n defnyddio dwy system o unedau mesur: metrig ac imperial.

---

drychwch hefyd:
hyd, taldra

drychwch hefyd:
dimensiwn,
dau ddimensiwn,
tri dimensiwn

drychwch hefyd:
digid, degolyn

drychwch hefyd:
system fetrig,
system imperial

W

wyneb (wynebau) *eg*

Wyneb siâp tri dimensiwn ydy un o arwynebau'r siâp. Mae wyneb yn gallu bod yn fflat neu'n grwm. Mae chwe wyneb gan giwb, tri wyneb gan silindr ac un gan sffêr.

Edrychwch hefyd:
arwyneb, crwm,
tri dimensiwn

wyneb

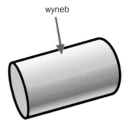

Y

ymyl (ymylon) *eg*

Yr ymyl ydy ble mae dau wyneb siâp tri dimensiwn yn cyfarfod. Mae 12 ymyl gan giwboid ond does dim ymyl o gwbl gan sffêr.

Edrychwch hefyd:
tri dimensiwn,
wyneb

ymyl

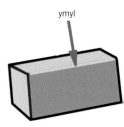